アフリカ人学長、京都修行中

ウスビ・サコ
Oussouby SACKO

文藝春秋

アフリカ人学長、京都修行中

カバー写真　石川啓次
装丁　野中深雪

アフリカ人学長、京都修行中　目次

プロローグ　京都とマリと空間人類学

京都に三〇年近く住んでわかること

京都に住んで三〇年近くになります。

故郷のマリ共和国を離れたのは一九歳ですから、マリで過ごした年月よりも長く京都で暮らしたことになります。

近年はたくさんの外国人が訪れるようになり、これまで以上に京都ファンが世界中に増えているようです。だから私が海外で京都在住だと話すと、外国の人はたいてい「へぇー、あの京都に住んでるの！」と驚き、羨ましそうな顔をします。

そして、私も京都ファンだから日本に渡って京都に住んでいるのだろう、と思われることがあります。しかし私が京都にきたのは、本当にたまたまでした。初めて見る京都に感動したわけでもありません。「へぇー、昔の日本はこんなだったのか、おもろいなぁ」とは思いましたが、むしろ東京や大阪のほうが、私の目には魅力的に映りました。

それでも京都に住みつづけ、京都精華大学という京都っぽい大学で学長までやらせてもらっているのですから、京都にはよほどご縁があったのだろうと思います。

もちろん私も、京都には魅力を感じています。私の専門は建築であり、建築家として〝空間〟や〝場所〟を研究してきました。それは「空間人類学」と呼んでいる領域で、人びとがどのように空間や場所を生活に利用しているか、そこでどのようなコミュニティが形成されているかを研究しています。自分もそのコミュニティに入って観察するフィールドワークなど、文化人類学の手法を用いて〝空間〟を研究するから「空間人類学」なのです。

その空間人類学から見て、京都はとても魅力的な都市です。碁盤の目みたいに計算された人工的な区画、京都御所を中心とした地域のヒエラルキー、それに伴う人間関係の認識、コミュニケーションのとり方には独特なものがあります。日本人はユニークな空間認識の感覚があり、とりわけ京都の人たちは空間への感度が高いと私は見ています。

京都人が嫌われるところ

その一方で、京都の人は全国的に、いろいろ悪口を言われることがありますね。例えば、こんな具合です。

「京ことばは柔らかいけど、高圧的」

「排他意識が強い」

「ねっちりしたいけず（意地悪）を言う」

「のらりくらり話すから、本心がわからない」

「京都の町は好きだけど、京都人は嫌い」

　私からすると、こうした悪口には、京都人の空間認識、空間意識から説明できるものがあります。その根底には「ウチ」と「ソト（よそ）」という空間の意識が強くあるということです。京都の人たちに「こんなこと、ほかの街ではあり得へんやろ」と感じたら、そこには京都人独特の空間意識、それに伴う対人意識が働いているかもしれません。

　京都と京都の人びとについて語る前に、簡単に私の自己紹介をさせてください。生まれ育ちなどのバックグラウンドを理解していただいたほうが、私が京都について語るときのスタンスもわかりやすいと思うからです。

マリ共和国のこと

私は一九六六年に西アフリカのマリ共和国の首都バマコで生まれました。高校卒業まで暮らしました。

日本人のなかで、マリ共和国と聞いて「ああ、あそこね」と地図や風景が浮かぶ方は珍しいでしょう。ましてマリを訪れたことがある方はごくわずかだと思います。

マリは内陸に位置して海に面していない国です。アルジェリア、ギニア、セネガル、コートジボワールなどの国々に囲まれています。日本と比較すると、国の面積は三倍以上あって、人口は七分の一ぐらいです。

マリは多民族国家で公用語はフランス語です。家ではバンバラ語という民族の言葉を話しますが、高校までの学校教育はフランス語で受けました。妹はパリ在住の公務員です。一九六〇年に共和国として独立するまで、一九世紀の終わりからはフランス領スーダン、第二次大戦後はフランスの自治国スーダンだったからです。

宗教は、国民の約九割がイスラム教徒で、私もそのひとりです。一夫多妻制で男性は奥さんを四人まで持てますし、子沢山ですから三代で一〇〇人前後になる大家族も珍しくありません。ただ私の家は、父と母と子ども三人の小家族でした。友だちは「二八人兄弟の一八番目」みたいなのがふつうですから、兄弟が少ないことにはちょっと劣等感がありました。兄弟がたくさんいるということは、助け合える身内がたくさんいるということで、社会生活における一種のセーフティネットなのです。
ただ、わが家にも親戚や居候などが二〇人ほどいて、いつもにぎやかでした。

中国に留学し、夏休みに東京へ

高校を卒業するまでマリで育ち、大学は国費で中国に留学しました。自分で中国を選んだわけではなく、国からの割り当てです。中国語はまったく出来なかったので、最初の一年間は外国語大学に相当する北京語言学院（現・北京語言大学）で中国語をみっちり学びました。

二年目に専攻学科により中国各地の大学に振り分けられ、私は南京の東南大学で建築学を勉強しました。大学院でも建築設計を学び、建築家として母国のマリはじめ世界で活躍するつもりでいたのです。

現在、マリ国内に二〇〇人しか登録者がいない建築士協会に登録し、建築事務所を経営しています。その事務所の単独プロジェクトでは、個人住宅や集合住宅を手がけ、商業ビルやマリ空港のＶＩＰパビリオンの設計を私が共同担当しました。

日本に初めてきたのは、中国留学中の夏休みでした。中国の大学で知り合った日本の女性がアフリカへ旅行してマラリアで亡くなるという不幸な出来事がありました。私は彼女のご両親と中国で会っていたので、お悔やみを言うつもりでマリ人の友だちふたりと東京のご実家を訪ねることにしたのです。中国の上海から大阪港に到着し、バスで東京に行きました。

ご両親から「ゆっくりしていきなさい」と言われ、いまならそれが社交辞令だとわかりますが、私たち三人の男子学生は何日もそのお宅にご厄介になりました。故郷のマリでは、親戚や親友ではなくても、半年や一年ぐらい家に泊まるということはふつうにあります。そのマリ的な感覚で一〇日ぐらい滞在していたら、ご両親から「せっかく日本にいるのだから、祇園祭でも見てきたら?」と言われ、大阪の日本人の友人(中国へ一緒に留学)に私たちのことを頼んで、新幹線に乗せてくれました。

初めての京都で受けた衝撃

東京、大阪を見たあとに訪れた京都は、ちょうど祇園祭の最中でした。「二〇世紀の世界で、しかも最先端の国に、こんな場所があるのか!」と、一気にタイムスリップした気分です。町中の人たちが細い紐(ひも)のパンツ姿で藁(わら)の靴を履(は)いている。いまなら、それがふんどしとわらじだとわかりますが、当時は「ここ、本当に日本？」と思いました。ただ、田舎的なものはマリでも中国でも見慣れていたので、東京や大阪といった日本の先進的な街に、より憧れや魅力を感じました。

私が中国の大学を卒業する一年前には、天安門事件が起こりました。その前年、私たちの南京の外国人寮が中国人の学生たちに襲撃される事件も起こりました。当時の中国は国内情勢が不安定で、私たちも落ち着いて勉強できる状況ではありませんでした。

日本で建築理論を学ぶ

学位を取得した後、大学院に進んで建築を学んでいましたが、修士課程一年目の途中で日本の大学院へ留学しようと決めました。九一年春のことです。

私はまず大阪の語学学校に入って、日本語を勉強しました。思い立ったらすぐ行動ですから、どの大学院で建築を学ぶかを決めないで留学したのです。

ところが、大阪へきてみると「大学院の試験に合格するレベルなら、最低でも一年半は日本語を勉強せなあかんなぁ」と言われ、呆然としました。中国では大学院の籍を残してあるし、そんなにおカネがあるわけではありません。親からもらったおカネと自分の貯金をはたいても、半年がせいぜいです。

ただ、最初の三カ月間は一日九時間ぐらい勉強して、日本語は少し話せるようになりました。駅前留学の語学教室でフランス語を教えると、月に一〇万円ほどアルバイト代を稼げるようにもなりました。でも、大学院に入るまでに一年半もかけられません。もっとスピーディに入学する方法はないかと考えました。

ただ考えていても進まないので、建築分野の大学院に入りたいと思い、大阪大学、神戸大学、近畿大学など、関西方面で建築分野がある大学院に電話をかけまくりました。教授に直談判したのです。

そのなかで唯一、京都大学の建築学科のある教授が半年ほど研究生として勉強して、試験に備えたらどうかと受け入れを受諾してくれたのです。

大阪の日本語学校は半年で終え、京都に移り住んで京大の研究生となりました。それが九一年の秋のことです。

説明が長くなりましたが、私が京都に住むことになったのはたまたま、ということがおわかりいただけたでしょうか。もし神戸大学で受け入れてくれれば、神戸に住んだかもしれないのです。ただ、三〇年も神戸に住みつづけたかどうかはちょっとわかりません。京都に住むうちに、その魅力に気づいたこともたしかなのです。

京都の人たちは空間に敏感

京都の人たちは場所や空間に敏感で、人間関係への影響も大きい――そう気づいたのは、京大の大学院にいたときでした。

京都の街を特徴づけるポイントのひとつは「両側町（りょうがわちょう）」です。

両側町は、一本の道路を挟んで両側が発展した町という意味です。お向かいさん同士がひとつの町を形成しています。多くの都市で道路の反対側は町の名や丁目が違っているのと、根本的に町の捉え方が違います。両側町は京都だけでなく、札幌のような新しい町にも見られますし、ヨーロッパや中国の古い町並みにも残っています。

第四章で詳しく解説するように、私は京都の人たちが「打ち水」によって、自分のエリアを認識していることに着目しました。道路に水を撒（ま）く打ち水です。夏には砂ぼこりが舞うのを抑え、冷却効果もあります。その範囲について、実際に町でフィールドワークをして研究しました。

そのような京都人たちの空間意識に気づいたのは、実は故郷のマリで似たような調査をした経験があったからです。私が京大の大学院で博士号をもらった研究です。

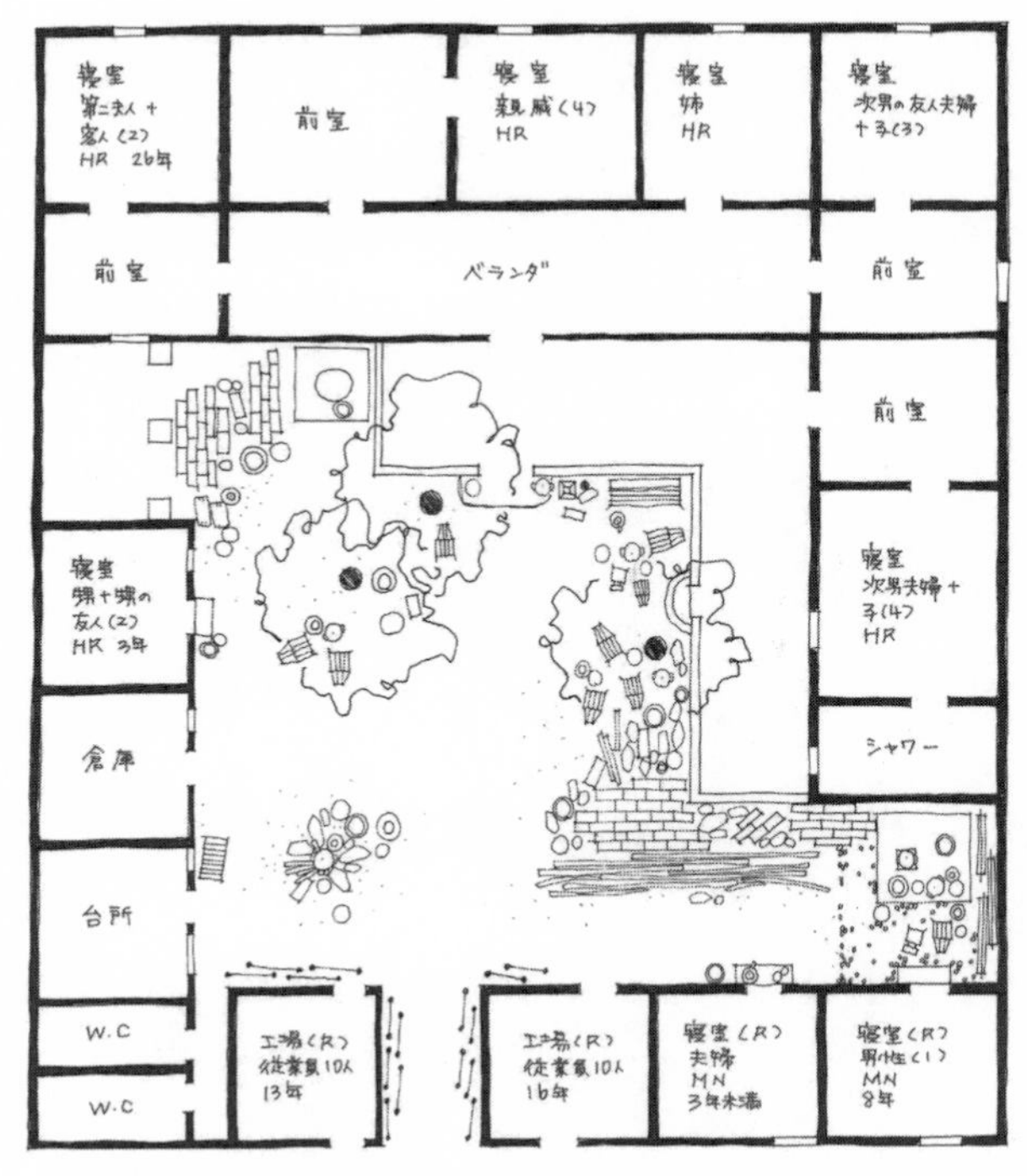

マリの住宅図。中庭を囲むように住居スペースが並ぶ。HR は大家とその家族、MN は民族、(R) は賃貸、○○年は居住年数の意味

マリは一〇〇人家族でもふつう

私は建築のなかでも住宅が専門なので、マリの住宅がどのように変化しているかを調べようと考えました。

マリの伝統的な住宅では、一夫多妻制の三世代、四世代がいっしょに住み、一〇〇人近くの家族がいるところも珍しくありません。基本的な形は中央に中庭があり、その中庭を囲むように細かく分かれた住居スペースが並んでいます。住居スペースは日本の長屋みたいなものです。

この大家族は、食事のときにひとつ竈（かまど）で料理をつくります。一夫多妻の家では、奥さんたちの間で料理当番がローテーションでまわってきます。一〇〇人の大家族でも竈はひとつというのがポイントで、マリでは竈を示す「グワ（GWA）」という単語がそのまま「世帯」という意味になっています。つまり、一世帯＝一竈であり、「サコ竈」といえば、「サコさんとこ」という意味です。

竈が置かれたマリの住宅の中庭。キッチンの場に

都市化で変化するマリの住宅

マリは父系社会です。最初は夫婦で家を構えます。第一夫人が子どもを五〜一〇人ぐらい産み、その間に第二、第三夫人がきて、また同じぐらい子どもが生まれます。日本ではそんなに子どもがいるお父さんは「ビッグ・ダディ」ですが、マリでは子どもが三〇人以上いるお父さんは石を投げれば当たるほどいます。家族が増えるにつれて敷地内の部屋数が増え、また子どもたちも男部屋、女部屋に分かれ、成人した男女がまた少人数でまとまって居住するというスタイルです。

中庭でくつろぐ住人。観察後の聞き取り調査の様子

一般的なマリの家庭では、男の子は成人して結婚してもその家に残り、女の子はよそへ嫁いでいきます。男の子は一夫多妻で結婚して子どもができるので、その世帯はどんどん人数が増えていきます。それでも竈はひとつ、複数の奥さんが当番制で料理をつくる。私たちはこうしたマリの伝統的な住居の形を「拡大家族」「共同居住」と呼んでいます。

ところが、この伝統的な大家族の形が、ここ五〇年ほどで少しずつ崩れてきました。とくに私が生まれた首都のバマコは、人口増加と都市化によって急速に変化しています。

それが住居にも影響してきました。

中庭のなかに竈が複数になるのです。それは、同じ中庭を囲んで長屋のように住んではいるけれど、その世帯が分裂したことを示しています。

これは「拡大家族」ではあっても「共同居住」ではありません。複数の世帯がある「集合居住」と名付けました。なかには、ひとつの中庭に一一個の竈がある集合居住もありました。一一世帯、七二人が住んでいるところです。

私はこうした住居の変化を研究するため、京都大学の大学院生や学生をマリに連れて行き、みんなで現地に寝泊まりして数十軒の中庭型住宅の調査を実施しました。一一世帯に七二人は格好のモデルケースでした。

住居の中央にある広い中庭は、何にでも使えるスペースです。食事の前は中庭の一角に竈を置いてキッチンになり、調理が終わると竈を片づけ、食事の場所をつくる。大工仕事があれば、中庭の一角に材料や工具を広げて作業場になる。仕事が終われば、片づけて、また何もない状態に戻ります。中庭の用途は変幻自在なのです。

日本の古い住居にも、複数の用途をもつ空間がありました。「居間」です。食事のときはちゃぶ台を出してダイニングルームになります。食べ終わったら、ごろんと横になってリビングルームになり、寝るときはちゃぶ台を片づけ、押入れから布団を出して敷いてベッドルームになります。

そのように考えると、キッチン、ダイニング、リビング、ベッドルームというように、一つの部屋に一つの用途や機能しかない住居は、西洋式だということがわかります。日本人はお箸(はし)で何でも食べるのに、西洋式はフォーク、ナイフ、スプーンが用途別に並ぶのと一緒です。

マリの住居にある中庭は調理の場にもなるので、日本の居間より用途が多く、多機能な空間だともいえます。

私たちは日の出からみんなが寝るまで、その中庭で一一世帯の七二人がどのような行動をとっているか、三年にわたって記録をつけていきました。便宜上、住民に番号をつけ、例えば、午前一〇時に中庭のある場所では32番さんが皿洗いをし、その近くで45番さんがくつろいでいる。同時刻に複数の行為が見られるわけです。

行動記録は三〇分ごとに一〇分間行います。一時間後に32番さんは皿洗いを終えてそこからいなくなり、15番さんが出てきて昼食の竈を準備しはじめた。また、別の場所では、56番さんが作業を始め、二時間後に終了すると片づけてその周辺を掃除した……。

私たちはそういう観察を一週間ほどつづけて記録していきました。ただ観察記録をつけるだけでなく、本人たちに「さっきは何していたの?」とか「いつも同じことしてるの?」とか質問し、観察内容が正しいかを確認します。一緒に食事しながらコミュニケーションをとり、調査していく場合もあったのです。

これは文化人類学に見られるフィールドワークの手法で、「参与観察」「参加観察」と呼ばれます。外部から客観的に眺めるだけでなく、自分もその場に参加して観察するのです。

建築分野の研究ではフィールドワークは重要とされていますが、参与観察を採用することはかなり少ないです。例えば、外国の町に出かけ、自分たちが観察して気づいたこと、わかったことを記録していくのみです。珍しい形の屋根を見つけたら写真に撮り、「あの形はきっとこういう理由からだろう」と考察していきます。これは至って客観的ですが、その考察が正しいかどうかはわかりません。

その点、参与観察は相手の話も聞くので、自分の考察が的外れになることが減ります。先ほどのような客観的な記録や数値データとともに、コミュニケーションを通したより深い考察ができるのです。ただ、参与観察はどうしても手間と時間がかかるので、建築分野ではあまり採用されないところがあります。

私はこの参与観察をはじめとする文化人類学的なアプローチが好きです。自分の学問を「空間人類学」と呼んでいるのは、「空間と人間の関わりを文化人類学的なアプローチで研究する」という意味です。

マリでの調査では、中庭における人びとの行動を通して、集合居住の人間関係が明らかになっていきました。例えば、古くからいる年長者は、中庭で使うスペースが大きく、そのぶん広い範囲を掃除していました。日本でも「幅を利かす」と言いますが、古くからいる人はそれだけ権限や責任の範囲が広いことが、中庭の使い方からも見えてきたのです。

このようなフィールドワークと考察は、もともと建築を考えるためのものです。そこから新しい住居や建築物のコンセプトを考えたり、都市計画まで広げたりするのが目的です。

さて、京都に話を戻すと、そのような空間人類学の視点で京都の町並みや人びとの言動を観察してみると、多くのことがわかってきました。それは全国的に言われる京都の評判を裏付けるものであったり、京都の人たちが長い年月をかけて培った知恵であったり、いま京都が直面している問題であったりします。

これから一つずつご紹介していきましょう。

第一章

京都人コード

京ことばはむずかしい！

日本に来て戸惑ったのは、日本人ははっきりものを言わないということです。

プロローグで少し触れましたが、そもそも、私が初めて京都に来た時のきっかけは、東京で滞在させてもらっていた家の人から、「祇園祭でも見てきたら？」と勧められたことでした。その結果、私は京都にすっかり根を下ろしてしまったわけですが、いま思えば、あれは「そろそろ、出て行ってくれない？」という遠回しなお願いだったのでしょうか。

この話をすると、「サコ先生、よそ様の家に何日も滞在して、よく平気でしたね！」と、知り合いの日本人から呆（あき）れられます。

「迷惑だな」「嫌だな」と思っても、それを相手にそのまま伝えない。言われた人が不愉快にならないよう、婉曲（えんきょく）な表現をすることで、相手が気づくよう仕向ける。これは日本人特有のコミュニケーション術ですね。

しかし、外国人には高度すぎて、なかなか理解できません。「言いたいことがあったら、はっきり言ってよ！」と叫びたくなったことは、一度や二度ではありません。

日本人のコミュニケーションは、外国人には本当に難しいと思います。しかし日本で長く暮らしてみると、日本人どうしでも「あの人は何を考えているのか、さっぱりわからん」といった陰口をよく聞きます。「日本人もお互いにわかってないのか！」と驚くことはたびたびありました。

とくに、京都には京都特有の「遠回しな表現」があります。そのわかりにくさは日本人のあいだでも、しばしばネタにされるほどです。

「ぶぶ漬け」は本当にあるのか

一番有名なのは、「ぶぶ漬け（お茶漬け）いかがどすか」でしょう。京都人の家に招かれたとき、ぶぶ漬けを勧められたら、断って帰らなければいけない。真に受けて「じゃあ、いただきます」なんて言おうものなら、「なんて非常識で図々しい人やろか」とあきれられると言います。どんなににこやかに応対してくれていても、「ええかげん帰ってくれへんかな。そろそろ夕飯の支度をしたいんやけど」が本音というわけです。

ほかにも、わかりにくい「京ことば」として、こんな事例が（ネット上で）紹介されています。

「はんなりしてはるわぁ」＝「早くしてくれへん？」

「しっかりしてはるわぁ」＝「セコいなぁ」

「えらいお人やなぁ」＝「何様のつもり？」

「お忙しいのと違いますの？」＝「いま誘ったの、社交辞令やから断って！」

「よろしいなぁ」＝「ふーん（興味なし）」

おだやかな口調に込められた、わかりにくい「NG」サイン。京都には「京都人コード」とも言うべき、暗黙のルールがあります。これを読み解くことが、京都人とうまくやっていく秘訣なのです。

たとえば、何かにつけて「よろしいですか？」と聞いてくるのも、京都人独特のスタイルでしょう。確定したはずの話でも、必ず確認を取ってくるのです。

「では、待ち合わせは三時にしましょう」

「わかりました。三時でよろしいですか？」

「いや、だから三時で」

「はい、それでよろしいですね？」

こんな具合に延々と確認が続くので、いつまで経っても話が終わりません。決断する立場になるのが嫌なのでしょうか。最終的に自分が責任を持つことを避けているのかもしれません。

自宅訪問もむずかしい

先日はこんなこともありました。ある方のお宅を訪問することになり、私は「日曜日なら昼以降は空いているので、午後二時頃におうかがいします」と伝えました。

その場合、約束の時間に訪問するのがマナーですよね。むしろ五分くらい遅れて訪ねたほうがいいと言う方もいます。相手が客を迎える準備に手間取るかもしれないという配慮からです。

私もほぼ時間通りに訪ねたのですが、よくよく話を聞いてみると、そのお宅ではなんと昼から待機していたというのです。その日奥様は外出する予定があったそうですが、「サコ先生に一言ごあいさつをしてから」と、昼には準備を整えて、私がいつ来てもよいようにずっと待っていたといいます。

「それならそうと言ってくれれば、訪問時間を早めたのに」と思いました。そもそも「昼以降は空いている」などと余計なことを言わないほうがよかったのでしょうか。私は約束通りに訪ねただけなのに、まるで悪いことをしてしまったようで落ち着きません。三〇年も京都に住んでいるのに、いまだに京都人コードを理解しきれません。

褒(ほ)め言葉を駆使したクレーム

私がその洗礼を最初に受けたのは、京都大学の大学院生時代でした。

当時、私は自宅に友だちを呼んで、よくホームパーティを開いていました。すると翌朝、近所の人と計画したかのように遭遇します。すると、ニコニコと満面の笑みをうかべてこう言うのです。

「なんか楽しそうやねぇ。いつも学生さんが多くていいねぇ」

「あなたが来てから、この町はほんま、にぎやかになったわ」

私はうれしくなって、「自分もこの町の一員になれたんだ」と安堵(あんど)したものです。

ところが、あれは忘れもしない、日韓共催のサッカーワールドカップが開催された二〇〇二年のこと。「今日は日本の大事な試合だから、窓を開けて応援しないと!」とはりきって声をはりあげていたら、ドンドンドン! ドンドンドン! と、いきなりドアをたたく音が。なにごとかと思ったら、警察官でした。「ご近所から、やかましいと苦情が来ています」私は耳を疑いました。

「はあ? なんでやねん。苦情が出るはずないでしょ?」

「近所の人はみんな私のこと好きだって言ってくれてるよ。いつもにぎやかでよろしいなって！」

でも、冷静になって振り返ると、ホームパーティをした次の日に限って、必ず近所の人に声を掛けられる、というのは不自然でした。あの「楽しそうやねぇ」は全部、苦情だったのです。私がいっこうに気づかないものだから、近所の人も困り果て、ついに「通報」という最終手段に出たのでしょう。

だれかわからない「山本さん」

日本人なら、「にぎやかになった」という言葉でピンとくる人もいるのかもしれません。でも、あんな満面の笑みで言われたら、外国人の私にはわかりようがない。遠回しにもほどがあります。日本語の教科書には、「京都人はうるさいなと思っても、絶対に言わない。にぎやかやなぁと言ってくる」と、ぜひ書いておいてほしいものです。

いまから三年ほど前に、大学の関係者や近所の人が食べに来てくれるかなと思って、京都にある芸術大学の近くでマリ料理のカフェを開いたときのことも忘れられません。

大家さんには「こういう店を出しますよ」と事前に話をつけて、開店後しばらくは順調でした。ご近所からのクレームもなく、安心していたのです。そんなある日、大家さんがやってきて、ニコニコしながら奇妙なことを言ってきました。

「いやぁサコさん、近所に山本さんという人がいてね。『サコさんのお店、だいじょうぶかな？　ちょっとうるさいかもしれない』って心配してはるんです」

「山本さんって、だれ？」と私がとまどっていると、「山本さんの娘さんが、学生時代にサコさんといっしょに勉強したことあるみたいで」と大家さん。

そう言われてみればたしかに、私が京都大学の学生時代、山本さんという友人がいました。でも、彼女はいまフランスに住んでいて、たまに連絡するくらいです。どうしてわざわざそんな人の話を出してくるのか。大家さんの真意をはかりかね、私は混乱していましたが、あとになってようやく理解したのです。

大家さんは、カフェから聞こえる音のことで、近所からいろいろ文句を言われていた。でも私に出店を許可した手前、いまさら「苦情が出ている」とは言いにくい。私が「近所の人ってだれ？　直接話をさせて」となれば、きっともめるだろう。そこで、私とつながりのある友人を探し出し、「心配している」と伝えてきたのです。

自分に縁のある人の言葉なら、私が素直に聞いてくれると思ったのかもしれません。

空間に敏感だからこそ地縁が大切

こういう回りくどいやり方も、いかにも京都らしい。

「山本さん」が本当にそんなことを言ったのかどうかは、わかりません。私は「いまから山本さんのところに行って確かめさせて」と言いたい衝動にかられましたが、それが大家さんのうそだったら、さらに気まずいことになる。そう考えて思いとどまりました。

京都人は、地縁をなによりも大事にします。大家さんにとって、店子（たなこ）の私たちよりも、地域の立場が大事であることは明らかでした。そのために、あれこれ悩んで知恵を絞ったのでしょう。

けっきょく、私は「山本さん」には一度も会うことのないまま、カフェを約一年で閉店することになりました。それは、「山本さん」のせいではなく、音の問題でイベントや大人数のパーティが企画できず、思い通りの経営ができなかったからです。

あれは本当に残念な出来事でした。

自分が「当事者」としてかかわることは徹底的に避け、第三者を立ててメッセージを伝えてくる。自分がだれとも衝突しないよう、他人をダシに使うのが京都流なのです。「私は気にせえへんけど、みんなはこう言うてはる」という言い回しを、京都の人はひんぱんに使います。

このバリエーションとして、他人を非難することで、相手に注意を促すというパターンもあります。京都ではお客様をもてなすために、高価な茶碗や掛け軸を持ち出すことが多いのですが、「〇〇さんったら『立派なお茶碗ですねえ、おいくらですか』なんて、値段を聞いてきたんですよ。普通はそんなこと言わないものなのに」と愚痴を聞かされました。

これをただの愚痴と思って聞き流していると、えらいことになります。これは「物の値段を聞くなどと下品な真似をしてはいけない」という間接的な教えなのです。

そう言われると少し前、その人に連れていってもらったお店で、私も値段の話をしたような記憶がよみがえってきました。他の人への非難は、どうやら私に対するリマインダーだったようです。

高度なリテラシーが試される

暗示めいた話はたくさんするけれど、肝心なことは決して言葉にしない。それは自分自身で理解しなくてはならない。

こうした京都的なコミュニケーションスタイルを、私も最初は少ししんどく感じました。こちらに落ち度があるなら、はっきり言ってくれれば、「知らなかったので失礼しました」とあやまることも、「私の国ではこうなんですよ」と説明することもできます。こういうときには、お互いに意見を言い合って、ときにはけんかになったりしながら、折り合いをつけていくものでしょう。ところが、京都では面と向かって指摘も非難もしないので、こちらに弁明のチャンスが与えられないのです。

日本人のなかにも、京都人の「裏の顔」に気づいて、京都ぎらいになってしまう人が多いと聞きます。しかし、本音をけっして口にしない「京ことば」は、周囲とのトラブルを徹底的に避けるために発達したとも言われます。せまい土地で長くお互いに心地よく暮らすため、角を立てないための知恵。「嫌味ったらしい」「腹黒い」と怒るのではなく、京都コードの解読を楽しんでしまえばいいと思います。

京都はかつて帝（みかど）をいただき、首都として機能していましたが、それゆえにつねに新しい権力者に攻められ、街を破壊されてきた歴史があります。あからさまに他人を批判することで、命を落とすこともあったでしょう。そう考えれば、回りくどい「京ことば」は、民衆が生き残るためにも不可欠だったかもしれません。

京都コードを知り、リテラシーを身につけていけば、謎に包まれた京都人の本音が少しずつ見えてきます。自信満々で、嫌味で、鼻持ちならないと言われる彼らも、美しい「京ことば」の裏で、さまざまな葛藤(かっとう)を抱えています。この章では、そんな事例を少しずつご紹介していきましょう。

観光地・京都は仮の姿

京都は言わずと知れた日本屈指の観光地です。近年は外国人ツーリストが急増していますが、日本人にとっても長年にわたりあこがれの旅行先であり続け、修学旅行の行先としても変わらず人気がありますね。そして京都を訪れた観光客のうち、およそ九割が、なんらかの「京都みやげ」を買って帰るそうです(京都市「京都総合観光調査二〇一八年」より)。

京都みやげは実にバラエティー豊かで、食品、工芸品、衣料品、雑貨などあらゆるジャンルがあります。なかでも食品は、駅や主要な観光スポットで気軽に買えますので、みなさんも一度は手に取ったことがあるでしょう。

私は外国人へのおみやげに、抹茶系やあんこのお菓子で、パッケージに寺社や舞妓さんの絵が入ったもの、たとえば八つ橋を選ぶことが多いです。女性には油とり紙も好評です。

私と学生たちは京都みやげをどんな人が買い、どんなものを選ぶのかに興味を持ち、以前、八坂神社の入口で、八歳から五〇代の男女五一人に「京都みやげ」に関する調査をしたことがあります。

その結果、彼らは「京都といえばこれ」というイメージをそれぞれに抱いていて、そのイメージを基準にみやげ物を選ぶ傾向があることがわかりました。

京都みやげの七パターン

私たちはヒアリングをもとにそのイメージを整理し、実際に売られているみやげを七つに分類してみました。

①正統派

伝統の味を「小細工なし」で、忠実に継承しているもの。八つ橋（生、乾燥）、もち（阿闍梨餅（あじゃりもち）、ひねり餅など）、まんじゅう、あめ、麩（ふ）（生、乾燥）、ゆば（生、乾燥）、漬物（千枚漬け、すぐき、しば漬けなど）。茶席で供される干菓子もここに含まれます。

②寺・神社系

金閣寺、銀閣寺、伏見稲荷大社など、観光客に人気の寺や神社をモチーフにした菓子類。

パッケージ（包装紙）にも、わかりやすくこれらのモチーフがあしらわれています。建造物のほか、神の従者（伏見稲荷大社の白狐など）のキャラクターもここに含まれます。

③抹茶系

和のイメージがありますが、洋菓子にアレンジした商品も多く、抹茶プリンが有名です。抹茶チョコ、京風抹茶オレ（粉末状のもの）などは「日持ち重視」派に人気。有名茶舗とコラボして高級感を打ち出した商品も見られます。大手菓子メーカーの地域限定（期間限定）オリジナル商品（グリコ「コロン」京都宇治抹茶など）は、つねに新製品が並んでいます。

④豆腐系

とうふケーキ、とうふキャラメル、とうふエクレア、とうふひねり餅など、豆乳を練りこんだ菓子。乾燥ゆばなどの食材もある。健康志向の人に選ばれる傾向があるようです。

⑤キャラクター系

舞妓、新撰組、牛若丸など、京都にゆかりのある歴史上の人物をあしらったもの。和菓子、洋菓子、せんべいなどに多く見られます。

⑥有名キャラクターコスプレ系

ハローキティ、ポケモン、ワンピース、銀魂（ぎんたま）などのキャラクターが、京都にゆかりのあるキャラクター（舞妓、新撰組など）のコスプレをしているもの。京都固有とはいえませんが、「忍者」のコスプレをしたものもあります。外国人に根強い人気があるようです。
⑦イメージのみ
①〜⑥に該当しない、「なんとなく京都っぽい」モチーフを取り入れたもの。京都タワーとか二条城などの建造物。
これらは、以前担当した京都プログラムで、学生たちとフィールドワーク調査し、観察およびおみやげ屋の店主にインタビューした内容を分析した結果です。

七つのうち、②〜⑦は比較的価格が安いのが特徴で、「京都に来たのは今回がはじめて」あるいは「出張で来たけれど、忙しくてじっくり選ぶ時間がない」という人が手に取る品物です。

しかし、これらはあくまでも「観光客が考える京都のイメージ」を反映させただけで、なかみはごく平凡なお菓子。じつは京都で製造されていない商品も多いのです。何度も京都を訪れ、目や舌が肥えてきた人なら、やはり①の「正統派」を選びたいと考えるでしょう。京都の材料を使い、熟練の職人が作った品質を求めるなら、このジャンルしかありません。

とはいえ、一見「正統派」と思われる京都みやげも、なかには「ほんまもん」ではないものが交じっているので注意が必要です。

八坂神社前でヒアリングした人のなかには、何人か京都の人がいましたが、彼らは、「箱入りの生八つ橋は、一度も買ったことがない。あれはよそさん向けや」というのです。

生八つ橋といえば京都みやげの代表格ですが、京都人はお気に入りの店に行き、作りたてのものをひとつずつ買っているのです。保存料も入っていないし、作りたてのほうが風味もいい。みやげ物店に並んでいる「箱入り」のは、彼らに言わせれば「にせもの」なんですね。ちなみに、京都人が幼いころからなじんでいる生八つ橋は「あんこ」が入っておらず、皮だけのものだそうです。

最近は、江戸時代から続く老舗（しにせ）が手掛けた新商品もヒットしていますが、観光スポットで買えるもののほとんどは、地元では「にせもの」扱いです。

錦市場で売られている某老舗の生麩も、本店で扱っているものとは材料が違うといいます。みやげ用に売られているものは大量生産しなければならないので、京都以外のところから調達しているものもあるのです。「錦市場の生麩をいただきました。さすが老舗の味は違いますねぇ」なんて口にしたら、京都人は内心、苦笑いすることでしょう。

黙ってにせものを売りつけてもうけるなんて、やっぱり京都人はたちが悪い！　と思いますか？　しかし、観光スポットに並ぶ偽京都は、「ほんまもん」の京都の一部を誇張あるいは模倣しただけであり、「ねつ造」されたわけではありません。

むしろ「にせもの」の京都は、外の人たちが望む京都らしさを反映したものであるといえます。「京都にはこうあってほしい」というよそさんの期待に応えた結果なのです。京都人は、わざわざバックヤードをさらけ出し、よそさんの夢をこわしたりはしません。

伝統的な自分たちの文化を、ベタな京都みやげとして商品化することは、たしかに文化そのものを壊してしまう危険もあります。しかし、京都みやげとして大勢の人に親しまれ、世の中に普及したことによって、そのままでは消えてしまったかもしれない伝統がいまも受け継がれているという側面もあるのです。

京都は、昔から文化の商品化を非常にうまくやってきました。守るべきものは身内だけで共有し、外側ではよそさんの求めるものに応じて演技する。ベタな京都みやげも、京都を維持していくひとつの手段といえるかもしれません。

京都人はランキング（序列）が大好き

京都には、さまざまなランキングが存在します。売れているみやげ物ランキング、観光スポットランキング、外国人が選ぶ名所ランキングなどなど。その多くは「ツーリスト目線」のものです。

しかし、京都の人たちと親しくなってくると、彼らもランキングが大好きだということに気づきます。

たとえば、出身大学。学閥の話が好きな日本人は大勢いますが、京都人のあいだでも、学歴に関する話は日常的にかわされています（大学が六つしかないマリ共和国で育った私は、大学ランキングなんていわれてもピンときませんが）。

私が大学院で学んでいた京都大学は、京都では「最高ランク」に位置づけられています。リベラルな校風や、ノーベル賞受賞者を輩出していることもあり、「東京大学よりすばらしい」と思っている人も少なくありません。

私が学長を務めている京都精華大学も独特の存在感で、京都の人たちには親しまれています。ここで少し精華大のことをご説明しましょう。

私が精華大に入職したのは二〇〇一年です。京大で博士号を取得したマリの研究でフィールドワークを駆使したこともあって、地域研究方法論や都市論を担当する教員として採用されました。その後に改組があって、人文学部に文化表現学科が作られ、そのなかに建築文化論、空間デザイン論やプロジェクト演習といった講座が設けられました。私が研究する空間人類学に興味がある学生、別の研究テーマがあってフィールドワークを身につけたい学生、そして私個人の経験に興味がある学生の三タイプがいました。精華大学はマンガ学部があることでも有名ですが、ボーイズ・ラブのマンガを描く学生を人文学部の文化表現で受け持ったことも何度かあります。私がマリ出身で世界を見ているから、創作のヒントになることが多いと錯覚したのかもしれません。

京都精華大学は、京都のなかでも他人と違うことに挑戦したい学生が集まっているように私は感じています。長い伝統をもつ老舗の子たちが多いのも、そういうトンガッたところに惹(ひ)かれるのかもしれません。もともと精華大は、学生運動が盛んだった一九六〇年代後半に、大学に新しい教育を導入したい人たちが集まって設立されました。だから、学生をひとりの人間として尊重する。教員など教える側とも平等という意識があり、「人間尊重、自由自治」をモットーに掲げています。

大学よりも小学校が大切

また、京都人のなかには、大学よりも「小学校」にステイタスがあると思っている人もいます。知り合った京都人から、「私、じつは御所南小学校の出なんです」と言われたら、みなさんどう返しますか？　普通はとまどいますよね。私なら、「この人は小学校しか出てないの？　苦労人だったのかな」と思ったかもしれません。

しかし、御所南小学校といえば、自分の子どもを通わせるためにわざわざ学区内に引っ越す人もいるほど、京都では特別視されています。名門私立ならまだわかりますが、御所南小学校は公立（京都市立）なのに、なぜか？

御所南小学校は近隣地域の小学校を統廃合して一九九五年に開校されたので、それほど歴史があるわけではありません。しかし、二〇〇二年に文科省から最初の「コミュニティ・スクール」（保護者や地域住民の意見を運営に反映させる学校）に指定されたあとに人気が高まり、御所南小学校→御池中学→堀川高校→東京大学（または京都大学）というエリートコースが確立されていきました。不動産のチラシでも「御所南小学校学区内」というキャッチコピーがでかでかと印刷されています。

さらに、「立地」にもステイタスがあります。その名が示す通り、御所南小学校は京都御所のすぐ南にあり、地図上では中京区（なかぎょうく）に属します。この中京区が、京都市内ではトップクラスの人気エリアなのです。高級住宅街ではありませんが、住民のマナーがよく、治安もよいと言われています。

ですから、「御所南小出身」と言われたら、「すごいですね」と反応するのが正解。学歴の話が好きそうな人なら、「中高も地元ですか?」と聞けば、「ええ、御池中から堀川高です」とうれしそうに答えるかもしれません。京都人とこういう会話ができれば、「よそさんなのに、この人ようわかってはる」と一目置かれることでしょう。

しかし、京都人のあいだで交わされる「どこに住んでいるか」「いつから住んでいるか」という話題は、非常にデリケートなものです。返ってきた答えによって、「この人は自分より上か下か」を瞬時に判断しているのです。

空間意識が「洛中」へのこだわりに

そのヒエラルキーの頂点にあるのが「洛中」です。豊臣秀吉が京都を囲むように築いた御土居(おどい)のなか、周囲二二・五キロにおよぶエリアのことです。「御所周辺」ともいわれ、行政区でいうと、中京区・上京区(かみぎょう)・下京区(しもぎょう)が該当します。「洛中以外は京都にあらず」と思っている人も多く、京都内では無敵です。

その次にステイタスが高いのが、東山区(御所周辺以外)。さらに左京区・北区、右京区、伏見区、南区、山科区(やましな)と続きます。

出身地によるマウンティングは、有名人にも容赦(ようしゃ)なくむけられます。以前、京都の御所周辺ではない地区出身の女性タレントが、テレビのトーク番組で「○○さんは生まれも育ちも京都ですが」と紹介されて、ちょっと微妙な表情をしていました。地元では「あの子は京都いうても○○やから」と、さんざんいけずを言われてきたのでしょう。

「ほんまの京都の人に聞かれたら怒られるんですけど、いちおう京都出身です」

他府県の人の前で、こんな自己紹介をする人は、おそらく「ランキング外」の地域の人です。

大学生の間でも「出身は京都です」と答えたのに、実は亀岡市の人ということがあります。宴会などでやたら京都人アピールする人は「ランキング外」の出身者が多いように思えます。

よそもんにはまったくわからない感覚ですが、出身地は、京都人のアイデンティティの基盤。ご年配の方のなかには、「下の地域」といっしょにされたくない、という高いプライドを持っている人が少なくないのです。

ですから、ステイタスの高い地域を覚えておくことも、京都リテラシーの向上に役立ちます。京都人が、自分から出身地の話をしてきたら、「ああ、自慢したいんだな」と察してあげましょう。

「よそさん」から卒業するには

京都には、「一見(いちげん)さんお断り」のしきたりが、いまも根強く残っています。とくにお酒を出す店で「はじめての客」が警戒されるのは私にも理解できます。マリでは宗教上の理由でお酒を飲まない人が多く、私もまったくたしなまないので、前後不覚の酔っぱらいをはじめて見たときは本当におどろきました。ふだんは穏やかなのに、お酒を飲むと別人のようにキレやすくなる人もいます。ほかのお客さんにしつこくからんだり、暴れて店のものをこわしたり。気が大きくなって、高いお酒をじゃんじゃん頼んで、支払いができなくなる人もいるかもしれない。店側からしたら、不安でしょうがないでしょう。

一般的に、「一見さんお断り」の起源は、花街(祇園界隈)にあるそうです。舞妓さんたちが所属している置屋や彼女たちが接客をする料亭では、女性(おかみさん)が商売を仕切っているので、おなじみさん(常連客)からの紹介でないと、トラブルに対処しきれない。支払いもツケなので、不払いのリスクを回避するという事情もあったそうです。紹介者がいれば、まず踏み倒される心配はありません。つまり紹介者は、「この人は信頼の置ける客ですよ」ということを担保する保証人なのです。

特に京都では、紹介者の果たす役割はとても重要になります。京都という特殊なコミュニティにおいては、「価値を共有できる」ということが「信頼の置ける客」である証になるからです。

知り合いの茶会などに呼ばれると、四〇〇年前の茶碗でもてなされたりします。さり気なく床の間に飾ってある掛け軸も、実はびっくりするほど高価なものであることもめずらしくありません。

もちろん面と向かって値段を聞くなど、失礼なことをしてはいけません。そんなことをしなくても、そこにいるだれもが、茶碗や掛け軸の価値をちゃんとわかっているのです。全員で価値を共有して、認め合うことで、その場に集う人たちの関係性が生まれるのです。

お店にしても同様です。サービス業だからだれでもウェルカムではなく、自分たちの料理やサービスの価値を理解できる人にだけ来てほしいという店も多いのです。

しかし、その価値がわからなければ、場の空気を共有できません。価値がわかるということは、教養があるということ。だから、その場にふさわしい教養があることを、紹介者が保証するのです。

一口に保証するといっても、紹介者の役割は多岐（たき）にわたります。場にふさわしい人を選ぶのはもちろんですが、たとえばお店に連れていくのであれば、その店のしきたりやサービスの意味をきちんと説明しなければなりません。「器を傷つける恐れがあるから、指輪やアクセサリーは外していって」「食材の風味が味わえなくなるから、香水は絶対にＮＧ」「値段のないメニューを出されても、これ、いくらですか？　と聞いてはいけない」といったことも教える必要があります。

もし万が一、自分がつれていったはじめての客が場違いなふるまいをしても、その場ではだれも直接責め立てたりしません。同伴者のふるまいは、紹介者の責任になります。紹介者とは、同伴者への教育をほどこす文化的ファシリテーターでもあるのです。

もしあなたがどうしても行ってみたい店や参加したいネットワークがあるのであれば、信頼できる紹介者を見つけるのが一番スムーズです。寺社関係者、花街関係者、地場産業の組合加入者など、先代や先々代から取引のある人に連れて行ってもらうのがベストでしょう。医師や弁護士、または大学関係者の紹介も意外と歓迎されます。外国人の私が「一見さんお断り」の店で予約を取ったり、知人を紹介したりできるようになったのは、大学関係者だったことも大きいと思います。

ただし、一度や二度、その店に行ったくらいで「常連さん」になれると思ったら大間違い。ここが京都のやっかいなところです。

いつも常連客を案内する景色のいい個室が空いていても、よそさんは通さない。出迎えのあいさつも、よそさんと常連さんとでは異なります。常連さんには「おこしやす」ですが、よそさんには「おいでやす」と言うそうです。「おこしやす」の方が、ずっと丁寧な言い回しになります。

いろいろと面倒に感じるかもしれませんが、これは人付き合いを大切にしていることの裏返しでもあります。京都人は、人といい加減に付き合うことを嫌います。他人に気を遣い、丁寧に一歩一歩人間関係を築いていきます。

京都人の関係性にはステップが必要で、ステップを経るうちに序列が崩れていき、「この人は大丈夫だ」と思えば一気に壁が崩れて、無礼講の関係になる。だからこそ、ファーストコンタクトには慎重になってしまうんですね。最初に新しい相手との関係を始めるときには、ファシリテーターのゴーサインがほしいのです。

しかし、「よそさん」でも、京都リテラシーに磨きをかければ、この「壁」を超えられる可能性はあります。常連に少しでも近づきたいのなら、暗黙の了解事項（京都コード）を学びましょう。「あの人は、説明しなくてもわかってはる」と思われれば、待遇が変わってくると思います。

私は会社の社長さんとか役職の方と親しくなって、ごちそうしてもらったことが何度かあります。そこで器や季節の食材について、いろいろな話を聞かせてもらったことは、いい体験になっています。

そのかわり、説明が長いので、食べるのにものすごく時間がかかりました。懐石料理をごちそうになったときは、一口で食べ終わるような小さい皿の説明に、三〇分くらいうんちく蓄を語られて、かなりつらかったです。

「順正」という湯豆腐屋さんの店主（当時）が、私のホストファザーである西陣協会の元会長さんといっしょに、南禅寺にある彼の店に案内してくれたときも同じで、料理から器から、出てくるものにたいしてひとつひとつ解説してくれました。「さっき出た先付のイモはどこそこの土で育ったので」とか「この料理の薬味は茗荷（みょうが）やけど、うちが小ちゃいころは別の薬味やった」といった話がいつまでも続くんです。

あまりにもしゃべるので、料理を楽しむどころではなかったのですが、食材のうん蓄を楽しんだり、床の間の掛け軸について語り合ったり、活（い）けられた花に店主の気遣（きづか）いを感じとることも、エンターテインメントのひとつなのだと気づきました。

「京都は料理の値段が高いと言われるけど、料金のうち、料理そのものの価値は三分の一。残りは場所とかプロセスとかそういうもんや」と言われて、なるほどなぁと納得したものです。

「よそさん」から常連さんに近づくには、京都で友人・知人との付き合いを大事にすることをおすすめします。お気に入りの店に連れて行ってもらいましょう。私の場合、「関西弁をしゃべるオモロイ外国人」ということで、ネタ扱いされている場合はあるけど、京都人は他府県の日本人を、そうそう気軽に誘わないのかもしれませんが。

ただ、ここだけの話、「京都人は意外とケチな人が多いが、驚くほど気を使うこともある」と思うことがあります。友人から、「なかなか予約がとれない山菜料理の店がある。店主が知人やし、そこ行こ！」と誘われて、行ってみたら予想より値は張っていたけど、内容と量に期待しようと決めました。しかし、出てくるのは山菜の天ぷらや野菜料理が主で、お腹がぜんぜんふくれない。ところが友人は、ウキウキしながら、「最後に竈炊きのごはんが出るから。おこげがまたおいしくて」と言うのです。私はマリの親戚の家で過ごしていたころ、自分の口に合う食べ物がないときに、竈で炊いたごはんのおこげにちょっと水と砂糖をかけて食べていました。おこげには貧しくてつらい思い出しかない。店主がやってきて、竈炊きごはんのうん蓄を語りはじめたときは、気が遠くなるかと思いました。

お会計は、ひとり一万円五千円弱でした。手の込んだ料理ばかりでしたが、私は叫びたくなりました。でも私以外の友人は、だれも文句を言わないのです。京都ではお金のことを口にするのはタブーとされているのです。「京都人、スゲーな！」と思いました。

京都の店は老舗でなくても料金がけた違いに高いことがあります。ホイホイと誘いに乗らないよう気をつけてください。

京女と知識人

京女と聞いて、みなさんは、どんなイメージを抱きますか？

知り合いの男性に聞いてみると、「おしとやか」「おっとりしてる」「気配り上手」「男を立ててくれる」といった答えが返ってきました。

ところが、この男性は東京生まれの東京育ち。学校でも職場でも、これまでに京都出身の女性が身近にいたことはないそうです。つまり、ドラマや映画に出てきた「架空の京女」しか知らないということです。

現実の京都の女性に聞かせたら、「こんなん、男の人の都合のいいこと並べただけや」と笑われるかもしれません。舞妓さんなら、これらの要素をすべて満たしていると思いますが、花街関係者の人によれば、舞妓さんのなかに、京都出身の女性はほとんどいないそうです。これもフィクションということですね。

ちなみに、私が考える京女のイメージは、一言でいえば、「ややこしい」です。

大学で教鞭をとるようになり、社会に出る前の女子学生たちを見ていると、「本音で生きたい。でもできない」という葛藤を抱えている子がとても多いように思います。

「東京で音楽関係の仕事に就きたいんですけど」と相談してきた子に、「行ったらええやん」と言うと、「いや、でも、うち京都やし」。「なんで、やりたいことせえへんの？」と聞けば、「でも、京都からは出られへんし」。二言目には「京都、京都」と、行動に移そうとしないのです。

そんな彼女たちの実家は、京都市内の旧家とか、老舗の有名菓子店だったりします。いわゆる「ええとこの子」なので、親のコネクションや家業のおかげで、地元ではまず就職に困ることがない。

本当は女優にあこがれている、ミュージシャンになりたいと思っても、「娘さん、家を出て、いま何してはるの」と、家族が嫌みを言われたら、と思うと、耐えられないのでしょう。人口のわりに京都（とくに京都市内）出身の芸能人が少ないのは、もしかしたら、そういう事情なのかもしれません。表舞台に立ってヤイヤイ言われるよりも、京都に同化して、ひっそりと生きていく道を選びがちなのです。

実際、京都市内の「ええとこの子」は、進学や就職で他府県に出て行きません。市役所や大学、国際交流センターなど、地元の職場で働いています。

彼女たちはおどろくほど経歴が似ていて、「小学校から大学までずっとダム女です」というのが典型的なケースです。ダム女とは、近年ブームになっているダム愛好家の女子ではなく、左京区にある京都ノートルダム女子大学のこと（小中高の付属校がある）。京都女子大学、同志社女子大学とあわせて「京都三大女子大」といわれ、比較的裕福な家庭の女子が通っています。

「実家が金もちで、就職も苦労知らずで、ええなぁ」と思われるかもしれませんが、京都にしかアイデンティティを持てず、一生、家にしばられて生きていくのも苦しいでしょう。彼女たちの「ややこしさ」は、就職のみならず結婚にも影響をおよぼしています。

京都の某大学で秘書をしている女性も、「ええとこの子」が多いのですが、未婚率がとても高いと聞きます。

「なんでみんな、結婚できへんのやろな?」と不思議に思ったのですが、それはたぶん、子どものころから家業をみて育ってきて、「家に釣り合うかどうか」を基準に相手を見る癖がついているからでしょう。

彼女たちと話していると、けっこう個性的な彼氏がいたりするのですが、「人としては好きだけど、結婚する相手ではない」と言うのです。

好きな人を追って、東京に引っ越しまでした知人女性がいますが、けっきょく京都に戻ってきてしまいました。「なんで？」と聞くと、「やっぱり親には紹介できないから」と苦笑するのです。

ほかにも同様の女性がいましたが、「彼が東京の偏差値の低い大学出身だから、親に言えない」と、これまたややこしいことを言う。

では、「ええとこの家」の女性が、親に堂々と紹介できる相手とは、どういう人なのでしょうか？

普通は、「安定した仕事で、年収がそこそこあれば」と考えるのでしょうが、京都で重視されるのは、収入よりも家柄です。旧家や老舗など伝統を受け継ぐ家であるほど、家名や家格へのこだわりが強いのです。

実はもうひとつ重要な要素があります。それが「インテリジェンス」です。歴史的に文化の中心地であった京都では、昔から学問が盛んだったこともあり、知識人に対する敬意が強いのです。

実際、外部の人間には裏側の「ほんまもん」の京都の姿は簡単に見せてくれませんが、私たちが大学の研究の一環として、調査や講座へのご協力をお願いすると、快く協力してくれることが少なくありません。将来の知識人となり得る学生に対して、みんなで見守りながらサポートしていこうという空気が今も残っています。

京都では学者のステイタスが非常に高いので、結婚相手としてもきわめて「世間体がよい」。そこで彼女たちは、京都の大学関係者との結婚を目指すようになるのです。

ここでも、人気が高いのは京都大学です。京大の先生、京大の院生、京大の助教、京大の医学部生とご縁があれば、親も大歓迎です。

同志社大学や立命館大学を出て、有名企業で働いている男性とつきあうケースももちろんあるのですが、年収の高い私大出身者より、年収の低い京大の学者を選ぶのが京女の価値観です。

私の妻は滋賀出身ですが、京都の女性と結婚していたら、もっとちやほやしてもらえたかもしれませんね。

分業社会・京都

京都市の地図を最初に見たとき、なんと人工的な都市だろうかとおどろいたものです。左右対称の構造をもち、碁盤の目にきちんと整えられた区画。京都以外にもまっすぐな道路はいくつもありますが、ここまで見事に区画されているのはめずらしいと思います。

京都の街並みのルーツが平安京にあることは、日本人のみなさんならだれもがご存じですね。

平安京の範囲は、東西約四・五キロメートル、南北約五・二キロメートル。その最北端に天皇の住居と官庁街がある大内裏（だいだいり）があり、その南端中央から朱雀大路（すざくおおじ）がまっすぐに伸び、都全体を左京と右京に二分する。この朱雀大路と並行して南北に走る一〇本の大路があり、これらの大路と直交する一三本の大路が東西に走る。

この区画は条坊制と呼ばれるもので、横（東西方向）に走る大路に囲まれた部分を「条」、縦（南北）に走る大路に囲まれた部分を「坊」と言います。坊と条を組み合わせ、「五条三坊」などといって土地の場所をブロックごとに呼び分けていたのです。

京都の住所がやたら長いのは、その当時に定められた呼び名が残っているからですね。読み方も独特で、外国人の私は覚えるのにひと苦労しました。

ところで、作られた当初は天皇や貴族が主導権を握っていた平安京も、時代が下るとともに、民衆の町として変貌していきました。

高橋康夫氏（京都大学名誉教授）は、「京都人によるまちづくりは、平安京の空間理念や都市計画の無視、否定あるいは逸脱として進んだ」と分析しています。

平安京では当初、右京と左京にそれぞれ「東市」「西市」という官設市場がつくられましたが、一二世紀後半には、それにかわって、住民たちが生活用品などを売買する「町」

という市場が発達していきました。

西陣織の源流を担う機織り職人も、早くから同業者が集住する「町」を形成していたといいます。この町が現在の「小路」として残り、同業者が近隣に集まって暮らすコミュニティができていったのです。

京都の民衆の自治精神は、鎌倉、室町、戦国、江戸と、時代ごとに為政者が変わり、つねに外敵にさらされてきた歴史とも関係があるでしょう。

大永七（一五二七）年には、新たな支配者としてやってきた堺公方府（細川晴之らに擁立された足利義維）の横暴に対抗して、公家と町衆が一致団結して土塀などをつくり、町の安全を守ったという記録が残っています。京都の人びとは、団結して町を守らざるを得なかったのです。そのせいか、京都では、だれもが「何らかの役割」を担うことを求められます。

京都を見ておもしろいなと思うのは、ヨーロッパの町と違って「京都人のもの」だということです。ヨーロッパにはだれから見ても明確な階層構造が存在し、ときの支配者がその頂点に立ってすべてをコントロールしていきます。

それに対して京都は、そのときどきの為政者はいても、実質的に町を動かしているのは京都の人びとです。みなが京都のために自分の役割を担い、支え合い、関わり合いながら生きてきた。でもその裏側の構造を知っているのは身内だけで、けっして外の人には見せません。

裏を返せば、役割のない人は「よそさん」とみなされ、けっして身内にはなれないということです。

同業者の仕事を手伝う、といったことももちろんそうですが、役割というのは職業の有無とは関係ありません。現役をリタイアした職人でも、地域の祭りがあるときに先頭に立つ役割があり、学校の先生なら、地域の住民の相談に乗る役割がある。有名大学の先生なら、そこに住んでいるだけで住民たちの誇りになる。これも立派な役割なのです。いま、私が通っている床屋さんは、京大名誉教授の本庶佑（ほんじょたすく）さんの行きつけです。ノーベル賞を受賞したとき、「本庶さんが医学生時代から通った理容室」ということでご主人が取材をうけていましたが、うれしくてたまらないらしく、私にもしばらくその話ばかりしていました。

このように、京都では町や地域の価値を高めることも「役割」のひとつ。いまは「よそさん」でも、何かをきっかけに身内の輪に入ることはできます。私も学長になってから、多少、周りの見る目が変わってきたように思います。「学長は大変ですね」「お忙しいでしょう」などと挨拶も踏みこんだものになったし、二〇年以上近所に住みながら話したことがない人がいきなり、「テレビを見ましたよ」と声をかけてくれました。

出張や観光で京都に来て帰るだけの人はもちろん「よそさん」ですが、そのなかで、唯一の例外が「天皇」です。

天皇のことを「天皇さん」と呼ぶのは京都独特ですが、これは天皇を「身内」と見ているからではないでしょうか。御所で消費される食品、織物、工芸品を作っていた職人たちにとって、天皇は最高の上客でした。京都のもの作りのレベルが高いのは、日本一の貴人にふさわしい品質を追求してきたからともいえるでしょう。

明治維新後に首都が移転すると、天皇は東京に行ってしまいますが、公家たちの激しい反発にあい、「ちょっと行幸（ぎょうこう）にいってくるだけ」という名目で引っ越しをしました。京都御所が小規模ながらまだ残っているのは、そのためです。

かつて、公務で京都を訪れた天皇（現・上皇）に、出迎えの人垣のなかから「天皇さん、お帰りなさい！」と声があがったのは有名な話です。京都人は、「いまの皇居は仮住まいで、そのうち御所に帰ってきはる」という感覚をいまだに持っている。そして、観光客から京都御所の場所を聞かれれば、「まあ、いまはお留守にしてはるけど」と一言つけ加えるのを忘れません。

遠く離れた東京にいる天皇も、御所がある限り、京都人のなかでは「身内」であり続けているのです。

第二章　いけずな京都が私の居場所

京都の一見さんお断り、その本意は？

京都市には毎年五〇〇〇万人を超える観光客が訪れています。その一方で、昔から「よそ者に冷たい」「一見さんお断りの店がある」と言われ、どこかとっつきにくい印象があります。

三〇年近く住んでいる私から見ても、京都はなかなかクセのある町ですから、観光客が戸惑うのも無理はありません。

ある日、アンスティチュ・フランセ関西（旧・関西日仏学館）の副館長夫人から私に電話がかかってきました。かなり落ち込んでいる様子です。日本人はヒドい、差別をする……。よく聞くと、ご友人のフランス人夫妻が結婚記念日のお祝いに、わざわざ日本までやって来た。そして、前からずっと行きたいと思っていた京都の有名懐石料理店に連絡したら、理由もなく予約を断られてしまった、というのです。

その店は私自身も何度か行ったところなので、「外国人だから」という理由で断るとは思えません。高級店ではあっても、いわゆる「一見さんお断り」ではないはずです。

おかしいなと思って、「友人夫婦が行きたいと言っているのですが、お席は空いていませんか」と連絡してみると、「空いていますよ、どうぞ、どうぞ」とすんなり予約が取れました。

そこで私が、このフランス人のご夫婦のことを話したら、さっき断ったのには、明確な理由があったのです。

店主が言うには、「私どもの料理は、食材や調理法にこだわりがあるので、細かく説明したうえで、じゅうぶんに理解して味わっていただきたい。言葉や習慣の壁があって、それが理解できないお客様には、お料理をお出しできないのです」と。

言葉の通じない外国人であっても、泊まっているホテル経由で連絡をもらい、ホテルのコンシェルジュから説明してもらうとか、あるいは私が同行して、最初の説明だけでも通訳するなど、なんらかの保証があれば受け入れることができるそうです。でも、「じかにご連絡をいただいた場合は、すべてお断りしています」とはっきり言われてしまいました。

まあ、簡単に言えば、「料理や器の価値がわからない客には食べてもらわなくてもいい」ということですが、べつの視点で言えば、「お客様に気持ちよくお食事してもらうためには、丁寧な説明が必要」ということになるのです。つまりは、京都風のサービス精神の裏返しとも言えるのです。

最近はインバウンドが急に増えたおかげで、宗教上の理由で食べられない食材があるのに、言葉が伝わらずに出してしまい、トラブルになるケースもよく耳にします。そのため、京都ではじっさいに「外国人の一見さんお断り」は、けっこうあるようなのです。

とはいえ、なかなか「一見さんお断り」なんて言えないものです。京都の人に聞いても、「うちの店では、そんな失礼なことはようしません」と言うのですが、実際には「ようしている」のが京都です。

観光客の多い京都で、こんな理由からお客様を断っていたら、商売にならないのではないか、と思うかもしれませんが、京都人はそうやって、変わらない「京都」を守ってきたのです。

問題のフランス人夫婦は、私が同行して無事に食事することができました。和食の粋を堪能し、満足して夫婦円満で、帰って行きました。

京都のいけず体験

京都で暮らしていると、「それっておかしくない?」と思うことがあります。京都の人に話すと「京都の人にとっては当たり前や」と笑われますが。

たとえば、家の近くに駐車場を借りていた頃のことです。

ある日、駐車場の大家さんが来て、「サコさん、車が線をはみ出してるって苦情が来たから入れ直して」と言うのです。

行ってみたら、私の車庫入れが雑で、となりの駐車スペースとのあいだの白いラインに車輪が乗っていました。「すみません」とあやまってすぐさま入れ直したのですが、考えてみたら、となりの駐車スペースを借りている人は真向かいに住んでいるご近所さんです。駐車場でもよく会うし、あいさつもしている。それなのに、私にはなにも言わずに、駐車場の管理会社に連絡して、その管理会社が大家さんに連絡して、大家さんが私のところに来る。これって、なにかおかしくないですか。直接言えばすむことなのに、人を介して文句を言うわけです。

思い返せば、べつの日に、私が駐車場に車を入れようと思ったら、ちょうどその人が洗車をしている最中で、私の駐車スペースにバケツやタワシなどの道具が散乱していた。まあ、急ぐことはないので、しばらく路駐して待ってあげたこともあるのです。

こちらがそうやって何度か配慮したことは、その人もわかっているはずなのに、私の一度のミスは許さないんですね。しかも、私に直接言うのではなく、大家さんを通して文句を言ってくるのです。

京都の人は、相手と直接ぶつかることを極端に嫌います。本人に文句を言う場合でも、

「線をちょっとはみ出してるよ。私はかまへんのだけど」と、「自分は責めていない」という立場を示します。これが本当かどうかは、いまだに区別がつかないことがあります。

マリ人の知り合いが、京都の民泊で一軒家を借りたときのことです。大家さんから「ゴミは外に出さないでください。私が処理しますから」と言われ、一週間以上もゴミといっしょに過ごしたというのです。

たしかに京都はゴミの出し方に厳しく、細かいルールがいくつもあります。宿泊客にいちいち教えるのは面倒かもしれません。しかし一週間以上も滞在する場合はしっかりルールを教えて、自分たちで出してもらったほうがいいはずです。

それでも、本人たちにやらせないのは、教えるのが面倒なだけでなく、「ご近所から文句がくるから」という理由が大きいのです。

わが家の近所にも民泊施設があって、利用者の外国人が、ゴミの日ではない日にゴミを出しに来たことがあります。私は「今日はゴミを出す日ではありませんよ」とゴミ出しのルールを説明して、持ち帰ってもらいました。

もし、私が出くわさなければ、彼はゴミを置いていったはずです。そのゴミはだれかご近所さんが処分します。外国人に注意するわけではありません。「あそこの民泊の人たちが、こんなゴミの出し方してはった」と近所で噂になり、大家さんの耳に入るわけです。

大家さんは、ご近所の目を気にして、民泊のお客さんに説明などはせず、とにかく「ゴミは自分で出さないように」となるのです。

このように、ご近所に暮らしている人のことを知りたがる、何かにつけて介入したがるのも、京都ならではのことです。私の家には外国からいろいろな人が泊まりに来るので、何度もそのような場面に出くわしています。

パリに住む妹の娘、つまり姪っ子が遊びに来たときも、しばらく滞在するのでゴミの出し方を教えました。朝、いっしょに玄関を出て、ゴミの収集所に着いたとたんに、ご近所さんの女性がさっと現れて「ゴミを出すときは、ネットをこういうふうに外して、こんな感じで置くのよ」と頼みもしないのに、姪っ子に教えだしたのです。

私は二〇年以上ここに住んで、二〇年以上ゴミも捨てています。その私を差し置いて、じかに指導しようとする。なんでやねんと思ったのですが、どうやら「サコさん家に最近来ているお客さんは何者?」と確認しているようなのです。つまり、近所に新顔が入ってきたら、どんな人物なのか、ささいなことでもいいから知りたい。サコとはどういう関係なのか、いつまでいるのか、本当はそういうことを知りたいから、ゴミ出しを指導するという名目で、情報を引き出すわけです。

京都の人は、ご近所の情報を本当によく知っています。「最近、新しく越してきた学生さん、たまたま聞いたら法学部の学生ですって」などとよく話しています。

噂話が好きなのは、私が生まれ育ったマリも同じです。地縁社会ですから、「だれそれの息子がだれそれと結婚して、どうのこうの」としょっちゅう話していました。

しかし京都に来たころは、京都人の噂好きに驚かされました。私は、日本人というのは人間関係も含めて合理的なのだろうと思っていたからです。でも京都は違った。びっくりしたけれど、親近感を抱いたのも事実です。

こういうことも、いわゆる「京都のいけず」かもしれません。「いけず」とは、意地悪という意味です。これは嫌いな人にだけでなく、好きな人にも使う場合があります。「ほんま、この人、いけずやわ」なんて恋人どうしで甘えるときに使うのです。そんな意味も含めて、私も、京都はいけずだなと思っています。

私が生まれ育ったマリ共和国、京都と似てる？　似てない？

私が日本にはじめて来たのは友人の家に来た年ですから、それからちょうど三〇年になります。故郷で過ごした時間より日本で暮らした時間のほうが長くなりました。とはいえ私のバックグラウンドは、生まれ育ったアフリカのマリ共和国です。

マリ共和国はアフリカ大陸の西側に位置する国で、広さは日本の約三倍、国土の三分の二はサハラ砂漠です。国の中心を流れるニジェール川や西部を流れるセネガル川の沿岸には農耕地が広がり、最大の産業は金の採掘で、綿花栽培を中心とした農業と牧畜も大きな産業となっています。

私はその首都バマコで生まれました。マリというのは動物の「カバ」で、バマコは「ワニの川」という意味です。

マリの家はたいてい大家族です。多くは一夫多妻で、四人まで奥さんをもらうことができます。私の親しい友人は二八人兄弟でした。私の家族は父、母、妹と弟と私の五人。それだけで友だちに負けているというくやしさがありましたね。

それでも家にはおじいちゃんやおばあちゃん、おじさん、おばさん、その子どもなど、だいたい二〇人くらいがいっしょに暮らしていました。マリでは少ないほうです。二八人兄弟の友だちの家なんて五〇人以上がいっしょに暮らしているのですから。

友だちの家に遊びに行くこともありましたが、食事のときも大変です。洗面器のような大きな器に盛られた料理をとり囲み、一斉に手で食べるのですが、食事開始！　となったら、熱いとかなんとか言っていられない。早く食べないとなくなってしまうから、すごいスピードで食べていました。

私の家はその家に比べれば、人が少ないので、ひとりひとり自分の皿とスプーンで食べていましたけれど、それでも大勢で食事をすることには変わりありませんでした。

マリでは一番目の奥さんが結婚の届出をするときに、一夫一妻か一夫多妻かを選ぶことができます。婚姻届にサインをするのは、一種の契約なのです。一夫多妻というと日本では抵抗があるかもしれませんが、マリではシングルマザーが生活するのは大変なので、たとえば、夫が亡くなったら、子どもを夫の家に残し、別の人と再婚して第二夫人になるというように、再婚しやすい制度にもなっていて、それが女性を守る福祉的な意味合いも含んでいるのです。

奥さんには本妻も側妻（そばめ）もありません。立場は平等で、一般には同じ敷地で暮らします。そして、二日ずつ順番で奥さんをします。二日ごとにだんなさんが寝泊まりする部屋を変えるわけです。しかも、その二日間、担当の奥さんは、家族全員の食事と子どもの面倒をみます。自分の子どもだけではありません。たとえば二八人きょうだいの友だちの家であれば、その日の担当の奥さんが、二八人全員の面倒をみなければなりません。

でも、奥さんにも能力の差があるので、あの奥さんのときはご飯がおいしいとか、あの奥さんのときはご飯がいまいちなので外食するとか、そんなことを言いながら、わいわいと生活しています。

五〇人分の食事なんて大変だと思うかもしれませんが、四人の奥さんがいる場合、二日間、家事をすれば、六日間はお休みできるわけです。そう考えると楽だと思いませんか。家族や子どもが多いので、マリではお父さんは遠い存在です。日本のように子どもとべったりつきあうことはしません。ここぞというときに出てきて物を言う厳格なリーダー、それがお父さんです。だから、マリでは「お父さんに言うぞ」が、子どもをしつけるときに一番効く言葉です。

うちの大学の学生なんかは、「お父さんなんて、風呂上りにパンツ一丁でウロウロしているよ」といいますが、マリではお父さんが子どもにそういう姿を見せることはありません。食事も別格で、お父さんはひとりで食べるか、長男や次男などセレクトされた人たちといっしょのテーブルで取ります。まず、お父さんが食べ始めて、それを待って家族が食べ出します。

だから、気楽に話すことはできません。私が父親と普通に話すことができたのも、大学生になってからで、それまでは怒られた記憶しかありません。まあ、私も怒られるようなことばかりする子どもだったのですが。

私がやんちゃばかりするので心配だったのでしょう、小四から中三までセグーという町にある母方の親戚の家に預けられることになりました。「田舎で勉強に専念しろ」ということです。「長男としての自覚を持て」という意味もあったかもしれません。じつは父も若いころ、親戚の家で厳しく育てられた経験があるのです。それで私にも、お坊ちゃんばかりの私立学校で過ごすより、親戚の家で厳しい経験をさせるほうがいいと考えたようです。

その親戚は学校の先生をしていて、勉強をサボるとひどく叱られました。それに田舎の家ですから、実家の恵まれた環境とは違い、水道も電気もありません。一日に何度も井戸の水を汲まなければならず、勉強もオイルランプの灯りでしていました。

夏休みには家に帰れるのですが、私は過酷な田舎暮らしが嫌で一度、脱走して実家に帰ったこともありました。しかし、その日のうちに連れ戻されてしまいました。

大変でしたが、その過酷な生活のおかげで成績はよく、全国の成績上位者だけが入学できる技術系の特別高校に進学が決まり、六年後、ようやく実家に戻れました。

家族のあり方はまったく違いますが、日本でも以前はおじいちゃん、おばあちゃん、その子どもや孫がいっしょに暮らし、お父さんは一家の大黒柱として怖がられていました。いまでも京都の老舗などでは、大家族がいっしょに暮らしているところもあります。

京都のご近所づきあいなども、家族ではありませんが、コミュニティという意味では通じるところがあるように思います。

排他的で独特の習慣のある京都で、長年暮らして来られたのは、マリ的な大家族のコミュニケーションが身についていたからかもしれません。

家族も親戚も近所の人もウェルカムなマリ的大家族の暮らし方と、京都の人と人のつながりには似ているところもあるような気がするのです。

中国、東京、そして京都へ

私は京都で三〇年近く、人やコミュニティのあり方から空間を考察する「空間人類学」を研究してきました。でも、最初から京都に興味があって日本に来たわけではありません。

マリの高校を卒業した私は一九八五年に国費留学生として、建築学を学ぶために中国の大学に行きました。最初の一年は中国語を身につけるために北京言語大学に入り、その後、南京の東南大学に入りました。大学の寮はふたり部屋で、さいわい北京言語大学も東南大学もマリの同じ高校の同級生といっしょでした。

私たちはよくほかのマリ人や仲良くなった日本人などの留学生を呼んで、料理を作って食べたり、休みに旅行に行くなどして、大学生活を楽しみました。マリからの奨学金と、中国からの奨学金で、私たちの大学生活には余裕がありました。

しかし一九八八年末、アフリカ人留学生にたいし、中国人学生が不満を抱き、アフリカ人留学生を排斥しようという暴動が起きました。私たちは大使館のある北京へ避難しようと南京駅へ向かいましたが、列車に乗ることができず、中国当局から「保護するため」と、無理やりバスに乗せられました。

それから一週間ほど軟禁状態。連れて行かれた場所にはアフリカ人留学生が一〇〇人以上いました。「皆を扇動（せんどう）した」という理由で逮捕された留学生もいたようですが、私にはなにが起きたのかさっぱりわかりませんでした。しばらくして無事、大学に戻ることができましたが、半年後に今度は天安門事件が起こります。その影響は南京にもおよび、私たち留学生は寮にこもっているだけで、授業どころではありませんでした。

ちょうど、国（マリ）から夏休みの一時帰国のチケットが支給される年でもありました（二年に一度の支給）。

そこで、いったんマリに帰国しようと、私は日本人とアメリカ人の友だちを誘ってマリに帰り、一カ月ほど滞在しました。その後、中国に戻るのですが、いっしょに行った日本人の友だちがマラリアに感染したことがわかり、残念なことに、彼女は中国にもどる途中、香港で亡くなってしまったのです。辛いことの多い年でした。

日本をはじめて訪れたのは、その翌年の一九九〇年の夏休みです。アフリカ人三人の気ままな旅行でした。最初に、亡くなってしまった友人の家にあいさつに行くために、東京へ向かいました。彼女の家は下町の商店街の一角にありました。

ご家族は温かく迎えてくれて、狭い家なのですが、ご両親といっしょの寝室に布団を並べて、私たちを寝泊りさせてくれました。そして、サッカー観戦に連れて行ってくれたり、カフェでパーティを開いてくれたり、近所の商店街の人たちも入れ替わりで面倒をみてくれたのです。そういう人間味あふれる関係がマリと通じるものがあり、私たちは一〇日くらい居座ってしまいました。

いま思えば、ご両親はさぞ困っていたことでしょう。「いつまで滞在するの?」「ほかへは行かなくていいの?」と何度も聞かれていたのですが、私たちは別段の予定もなく、急いで中国に戻る必要もない。東京もこの家も居心地がよくて気に入っていたので、「だいじょうぶ、まだいられる」と、出て行こうとしませんでした。

当時は「負担をかけて申し訳ない」という日本の常識がまったくわかっていませんでした。マリのように友だちがいつのまにか来て、ずっと滞在しているのが当たり前だと思っていたのです。

しかし、さすがに限界だったのでしょう。ある日、ご両親から「ちょうど京都で祇園祭があるから、見てきたほうがいい」と言われました。なんと、新幹線のチケットまで用意してくれたのです。私たちは祇園祭には興味がなかったのですが、せっかくなので行くことにしました。

こうして、私は京都を訪れることになったのです。はじめての京都、祇園祭は衝撃的でした。はっぴ、ふんどし姿に、藁の靴をはいた人が、町中にあふれかえっていて、昨日まで二〇世紀の最先端の都市、東京にいたはずなのに、急に過去の時代にタイムスリップしたようでした。お祭りの衣装だというのを知らなくて、これが京都の日常なのだと思ってしまい、観光で来るにはいいけれど、住むなら東京のほうがいいな、というのが、そのときの正直な京都の感想でした。

そんな旅行に行く前、私は同年六月に中国の大学を卒業。当初、大学を卒業したら、すぐマリに戻り、国家公務員になる予定だったのですが、マリの経済状況が悪化して、卒業してもすぐには就職できない状態でした。

そこで、大学院に進む道を選択することになったのです。奨学金の延長も認められたので、一九九〇年九月から東南大学大学院に進学しましたが、次第に中国で住宅の研究をすることに限界を感じるようになりました。研究しようにも中国では家族関係や生活環境を細部まで見せてもらえないからです。

そんなとき、ふと脳裏に浮んだのが、旅行で訪れた東京の商店街での日々でした。日本でなら、もっと自由に研究することができるかもしれないと思い、東南大学に籍を置いたまま、一九九一年三月、再び日本に渡りました。


まず、大阪の語学学校で半年間、必死になって日本語の勉強をしました。そのあいだに大学院を選ぶのですが、最初は大阪や神戸を考えていました。しかし、日本の友人に聞くと、みんなが京都を勧めてくる。「京都は静かでよい」「町並みがきれい」と、とにかくほめるのです。日本にいる外国人に聞いても同じ。京都に行った人の「京都へのあこがれ」がとても強いのです。

私は祇園祭の印象があって京都は第一候補に考えていなかったのですが、やはりなにか縁があったのでしょう。ほかの大学からなかなか返事がもらえないなか、京都大学の研究生として受け入れてくれるという話があり、行くことにしました。そして、一九九二年に正式に京都大学の大学院生となりました。

京都でマリ的パーティ三昧

京都で始まった生活は、ひとことで言えば、マリ的パーティ三昧。いまの言葉でいえば、「パリピ」でしょうか。

一九九二年に京都大学の大学院生となった私は研究生の時から、左京区の修学院駅裏にある留学生の寮に入りました。そこから自転車で大学に通う日々でした。

駅の近くに「SPEAK　EASY」というカフェがあって、よく入り浸っていました。週末は同じようにカフェに来る友だちと合流して神社や寺をめぐったり、大学のグラウンドでサッカーをしたり、いまは禁止されていますが中庭でバーベキューパーティを開いたりしていました。

暮らし始めてわかったのですが、京都はほかの都市に比べて、町がコンパクトにまとまっています。そのせいか、いろんなところで、友人、知人とよく会うのです。SPEAK　EASYのようなたまり場的な場所だけでなく、町中を歩いていても偶然、人とでくわすことが多い。会えば話をするから、いろんな人と親しくなります。

そうやって知り合いが広がって、地元の中学生が入っているスポーツ少年団のサッカー部の監督を頼まれたこともあります。北野天満宮の宮司や上七軒(かみしちけん)の商家のお子さんが入っているサッカークラブで、それが縁で京都のお茶屋さん、西陣の織物をしている家々の人なども親しくなりました。

また、私は京都府の国際化推進事業の「京都府名誉友好大使」に任命されたこともあります。これは京都府内で勉学する外国人留学生に、京都府への理解を深め、国際化推進の「かけ橋」として活動してもらうというもので、大学から推薦され選考会議のうえ、知事から任命されます。大使となった留学生は、府や市町村などの国際化行事への参加、府政への参画、提案に積極的に努め、留学期間終了後も、京都府のＰＲや出身地域での情報提供等に協力することが求められます。

この大使の活動として研修や視察があるのですが、普段入ることのできない老舗の酒蔵に入れてもらえたり、寺社で一般公開されていない国宝を見学させてもらったりしました。それは単に見聞を広めるだけでなく、さらに人と人のつながりを広げることにもなりました。

ちなみに、この「京都府名誉友好大使」は、私が任命された一九九二年から始まり、現在も続いています。同期に任命された大使には社会学者でタレントのにしゃんたもいます。

修学院の寮はとても住みやすいところだったのですが、一年しかいられない決まりだったので、翌年の九月に、私は京都市北区にある下宿に引っ越しました。佐々木さんという着物の帯の絵柄をデザインしている作家のアトリエで、使っていない一階部分を借りることになったのです。

そこでも、週末は友だちを呼んで、マリ式の食事、つまりパーティを楽しんでいたのですが、ある日、佐々木さんから、「そこでは狭いやろ。うちの家、使ってやってもええよ」と声をかけてもらったので、お言葉に甘えて、広いご自宅で毎週パーティをさせてもらうようになりました。

最初は五、六人程度でしたが、どんどん増えて、多いときは三〇人。国籍もいろいろです。佐々木さんから、「三〇人超えたらだれが来てるかわからへんやろ」と言われたので、それもそうだと思い、全員の写真を撮って、名前と出身国を書いた名簿を作って、佐々木さんにも渡しました。

いや、そういうことを言われたのではなかったと、いまはわかりますよ。東京の友人宅と同じで、多少なりとも、ご迷惑だったのでしょう。日本の人ははっきり「迷惑」とは言わないけれど、ご近所の方からもいろいろと言われたと思います。見ず知らずの外国人がたくさん家に押しかけてくるのですから。それでも佐々木さんやご近所の皆さんが差し入れを持ってきてくれたり、いっしょに楽しんでくれているように見えたので、私は迷惑をかけているとはまったく思わず、結局、二年後に結婚して、佐々木さんの下宿を出るまで、ずっとパーティを続けていました。

おもしろいのは、そこで築かれた人間関係です。たとえば、佐々木さんのお子さんが学校の勉強でわからないところがあれば、京大生がたくさんいますから、だれかが家庭教師となって教えてくれる。数年後、そのお子さんが、アメリカに旅行に行きたいというときには、パーティに来ていた留学生や長期の在外研究期間中の京都大学の先生がちょうどアメリカにいたので、いろいろ手配してくれる。また当時、差し入れをしてくれたご近所のお子さんが、数年後に大学のオープンキャンパスに来て、「サコ先生のこと、昔からよく知っていますよ」と言ってきたりする。

その学生によくよく聞いたら、ご近所の人たちは、佐々木さんが大変そうだから、差し入れをしてくれていたのだそうです。びっくりしましたね。私たちがなにも用意しないので、ご近所のみなさんは、「佐々木さんが全部用意しているのではないか、それは、さぞ大変だろう」と思ったそうです。たしかに、そのころ会費を集めた覚えはありません。みんながそれぞれなにかしら持ってきてくれていたとは思うのですが、決まりなどまったくありませんでした。

最初に京都生活は「パリピ」と書きましたが、ここでのパーティというのは、パーティ券を売るわけでもない、飲食代を取るわけでもない、ビジネス感がまったくない、京都のコミュニティに支えられて、ただただ交流を深めるためのパーティでした。

結婚後は左京区にある鴨川沿いの賃貸マンションに二年ほど住みました。じつは私が奥さんと出会ったのは中国。彼女は南京大学に留学していたのです。

そして、この家でも相変わらずパーティ三昧が続きます。

小さな子どもがいるのに、と思うかもしれませんが、マリの大家族の中で生まれ育った私にとって、それは当たり前のことでした。

大学生活では、博士課程になり、研究も忙しくなっていたときに長男が生まれました。子どもは保育園に預けて、時間がないときの迎えはベビーシッターに頼んでいましたが、ベビーシッターが迎えに間に合わないときは、パーティに来ていた大学の後輩が保育園に行ってくれたりしました。

あるいはベビーシッターのお母さんが迎えに行ってくれて、「サコの家は遠いから」と自宅に連れて帰り、ご飯まで食べさせてくれる。そのうち、子どもも自分の家に帰るより、こちらのお宅に進んでいくようになってしまいました。

お願いしたわけではないのですが、このお宅が大学の近くだったこともあり、そういうことがたびたびありました。もう、親戚のように面倒をみてくれるわけです。ベビーシッターとそのお母さんとは、いまでも季節のあいさつなどのやり取りをする間柄です。こういうところも私は京都的だなと思うのです。

ただ、保育園の方からは、いろいろな人が迎えに来て、だれを信用していいのかわからないので、お迎えリストを作ってくださいと言われました。

当時の友人、知人は、いまや大学教授になったり、会社の重役になったりしていますが、ときどき会うと「あのころ、よくお前の息子を迎えに行っていたよ」と言われます。私も覚えていないほど、あまりに大勢の人に言われて、「え、あなたも迎えに行ってくれたの?」なんておどろくこともあるくらいです。これは京都的というより、サコ的といったほうがいいかもしれませんね。

最初に京都に来たときは、こんな古めかしい町には住めないと思いましたが、住んで四年も経つころには、すっかり自分の居場所ができていました。

京都は「よそ者に冷たい」とか「一見さんお断りの店がある」とか言われます。実際にそういう側面もあって、一見とっつきにくい町ではありますが、懐に入ってしまえば、いろいろな人が居場所を作ることができる器の大きい町でもあるのです。

鴨川で一万人動員の国際交流イベント開催

一九九七年から、私は自宅でパーティを開くだけでなく、イベントの企画、開催も手掛けました。とくに大きなものが、鴨川の河川敷を会場にした国際交流イベント「ワールドフェスティバル」です。

大学院生になってから任命された京都府名誉友好大使などの活動で知り合った留学生や他大学の学生といっしょに、国際交流のイベントや交流会を京都各地で開催していたのですが、その一環です。

一九九五年は「ボランティア元年」と呼ばれてもいます。この年の一月に阪神・淡路大震災が発生し、多くの一般人が災害ボランティアとして参加しました。「ボランティア」という言葉が日本に定着したのは、じつはこの年からと言われています。この災害ボランティアをきっかけに、「困っている人のためになにかしてあげよう」というボランティア活動が、日本全国で活発になりました。

私たちにとって、その対象となるのは留学生でした。困っている留学生を支えるボランティア団体を立ち上げようということになり、この鴨川の国際交流イベントを皮切りに、私が代表となり「ＴＯＢＩＵＯ」という団体を立ち上げました。

事務所は私の家。パーティの延長のようなものです。自宅にみんなで集まって、活動拠点としていましたので、毎日、家にはたくさんの人が出入りしていました。

まさにマリ的な生活だったのですが、ご近所からは「にぎやかでよろしいなぁ」と言われていました。これは先にもお話ししましたが、つまり「うるさくて、かなわん」という京都流の嫌味です。でも、そのころの私にはわかりませんから「よろしいでしょう」と笑顔で答えていました。

活動は大きく分けて五つ。ひとつ目は、家具や家電などの支援。これは他県あるいは外国から来ている大学院生が卒業したあとに不要となった物を引き取り、新しく入ってくる留学生に提供するというものです。

ふたつ目は、ホットライン。留学生がなにか困ったことがあるときに、電話をしてきたら、アドバイスをしたり、手伝ったりする相談窓口の役割です。これも私の家が事務所なので、自宅の電話がホットラインになっていました。各々の国の言葉が話せる留学生ボランティアが話を聞きましたが、五カ国の言語を話せる私が対応することが、多くなりました。また、ＴＯＢＩＵＯに登録していた行政書士たちが、様々な問題に対応しました。

三つ目が、国際交流イベントの企画、開催です。鴨川のワールドフェスティバルがこれに当たります。

　鴨川の三条から四条の間の河川敷でイベントをしたら、たくさんの人が集まって楽しいだろうと軽い気持ちで企画したのですが、まず、場所を借りる手続きがひと苦労です。河川敷は京都市ではなく、京都府の建設交通部京都土木事務所の管轄になるので、そこへ行って河川敷を使うための申請をして、事故にならないように安全を確保するにはどうするかとか、いろいろな対策をしなければなりません。飲食物を扱うので保健所への申請も必要になりました。

　各大学からテントを借りてまわるなど、なにかと大変でしたが、京都で築いた人と人とのつながりで、日本文化体験コーナーのために、多くの人に支えてもらいました。たとえば、京都和菓子の老舗「老松（おいまつ）」さんは、一〇〇人分のお菓子を提供してくれました。また、イギリス人留学生が日本の茶道を体験できるコーナーを作りたいと言ってきたので、茶葉の老舗「一保堂（いっぽどう）」さんからは高級な茶葉を提供してもらいました。本当にありがたいことです。

　このイベントは一九九九年〜二〇〇六年まで開催して、毎年七〇〇〇人から一万人くらいを動員するまでになりました。企画のメンバーだけでも一〇〇人前後いました。まあ、それが入れ替わり立ち替わり、私の家に集まる。屋台部隊とかチラシを作る部隊とかにわかれて、ミーティングをするだけでも毎回二〇人ぐらいが集まりますので、わが家はいつも芋の子を洗うような状態でした。

さらに、小・中学校、高校などでの京都在住外国人との異文化交流や異文化を紹介するプログラムも管理し、そして外国人のための日本語教室の開催も、われわれの活動の柱でした。

私は途中で京都精華大学の教員になったので、ＴＯＢＩＵＯの代表のまま、運営はほかの人に引き継ぎました。立場が先生とゼミ生になると、なかなか気さくにというわけにもいかなくなってきたというのもあります。

ＴＯＢＩＵＯは年々活動の幅が広がって、留学生のアルバイトの紹介や、下宿相談、弁護士さんや行政書士さんによる無料相談会なども行うようになりました。ひとつの団体で行う活動レベルではなくなったので、イベントの企画運営や留学生の生活を支えるボランティア活動は「ＴＯＢＩＵＯボランティアサービス」、アルバイトの紹介、小中高の国際交流、外国語講座や通訳等は「ＴＯＢＩＵＯインターナショナル」と、わかれて活動するようになりました。両団体の代表は私が務めました。

ＴＯＢＩＵＯインターナショナルは、のちに「ビーコス」という会社となって、現在も翻訳、通訳、外国人材派遣の仕事をしています。

こうして、家でのパーティから、鴨川の河川敷のイベントまで、さまざまな機会を通じて、私は京都の人とつながり、いつのまにか、京都にしっかりと自分の居場所ができていたのです。

第三章

揺れる京都

京町家はだれのもの

さまざまな形状の格子戸。虫籠窓と呼ばれるしっくいで固めた窓。京町家の意匠はとても手が込んでいて、散歩しながらながめるのは楽しいものです。間口のせまい家が、道に沿って整然と並んでいるようすは美しく、落ち着いた町並みを作り出しています。

町家が立ち並ぶ光景には、いかにも京都らしさを感じます。でも、風情豊かな町家暮らしも、そこに住んでいる人の話を聞くと、古いだけに不便なところが多いようです。

玄関から坪庭まで風を通して涼しくする。火をつかう厨房を土間に配置して冬の寒さをしのぐ。町家の造りには、京都の気候にあわせた工夫がいろいろとほどこされています。でも、近年の夏の猛暑は昔とは比べものにならないでしょう。エアコンなしでは熱中症になります。竈が電気やガスのコンロに替われば、昔ながらの知恵も活かせません。

古い建物だけに、耐震性能にも不安があります。せまく入り組んだ道に木造の建物がぎっしりと並んでいるのですから、防火対策も必要です。

自動車の問題も出てきました。自動車が一家に一台になれば、どこも駐車場が必要になりますが、せまい町家にはガレージを確保するスペースがないのです。

ただでさえ老朽化が進んでいる町家は、補修していくだけでもお金がけっこうかかります。世代を超えて受け継ぐには、相続税の問題も出てきます。そうした負担の重さから、京都では昔ながらの町家を手放す人が増えているようです。

京都市の調査によると、二〇一六年までの七年間に、約五六〇〇軒もの町家がなくなったといいます。これは、一日あたり二軒以上の町家が消えている計算になります。

もちろん京都市も、こうした状況に危機感を感じています。町家の解体にあたっては、一年前までに届け出るように条例を制定。市と事業者団体が連携して、町家の新しい活用方法を提案したり、利用希望者とマッチングさせたり、町家の保全をサポートしているのです。それでも、財政的な支援はじゅうぶんではなく、なかなか思うような効果が出ていないようです。

最近では、町の一角をなしていた町家が取り壊され、ぽっかりと空き地になっているのを見ることが増えました。ここにはいったいなにが建てられるのだろうと、とてもさみしい気持ちになります。

こうして手放された町家の敷地は、たいていマンションや駐車場に転用されています。最近では観光客をねらって、新しいホテルの建設も増えました。こうなると、町の風景は

大正末期に豪商が立てた旧川崎家住宅。市指定文化財

どんどん変わっていきます。

二〇一九年には、市指定文化財の「旧川崎家住宅」が解体される計画が持ち上がり、京都市が異例の警告を発しました。川崎家住宅は大正末期の豪商が建てたもので、洋間も備えた表塀つきの町家です。呉服製造卸の川崎家が購入したのは戦後のことです。祇園祭で山鉾（やまぼこ）が建つ京都市中心部にあって、京都市は、祇園祭では景観の一部となっているから、地域と一体で継承されるべきものだと主張しているのです。

一方で、解体されなければよいのかという問題もあります。最近では、町家の形を残しながら、民泊などの簡易宿泊施設として利用するケースも出てきました。日本情緒漂うあこがれの町家に泊まれるとあって、インバウンドの外国人観光客から人気を集めるのは当然でしょう。

民泊利用などはまだいいほうです。近年は、中国をはじめとする外国資本が、不動産投資として町家を買い占める動きが見られます。もしかしたら、将来は京都の町の一角が、外国人向けの別荘地になってしまうかもしれません。

昔ながらの町家が消えていくと、町の景観が変わるだけではありません。それよりも問題なのは、町のコミュニティが大きく変化することです。

もともと町家は、道を中心とするコミュニティを前提に造られた職住一体型の建物です。その町に暮らす人々は、同じ道を共有することで、仕事も生活もお互いに深くかかわっていました。しかし昔ながらの職業ネットワークが崩れ、コミュニティのつながりが弱くなってくると、住民としては積極的に町家を維持する理由が失われてしまうのです。

ただ「町家を残す」ということだけを考えれば、観光はキーワードになるでしょう。宿泊施設や外国人向け別荘にリニューアルされたら、たしかに経済効果は大きいと思います。

ただし、そこにはもう、道をはさんで形づくられる人々の日常的な暮らしはありません。京都のほんまもんの文化のひとつだった町家も、観光客向けのみやげもののように、表面的な京都らしさを演出するだけの存在になってしまうのでしょうか。

だれのために京都の町並みを残すのか。失われる町家から、大きな問いがつきつけられています。

職人文化が支える京都

京都の町をぶらぶら歩いていると、「はじめてここを通ったときと風景がずいぶん変わったなぁ」としみじみ思うことがあります。ここ数年、そういう印象を受ける町は増えているかもしれません。

「あら、サコ先生、ご無沙汰やね。ちょっと寄っていかれます？」

京大時代にお世話になった老舗の店主やおかみさんは、道で顔を合わせれば二〇年前と変わらない親しさで話しかけてくれます。しかしその町の風景はたしかに違っているのです。

数年前、パリから友人が遊びにきたので、京都の町を案内しました。老舗の京菓子屋さんでお茶を飲みながら「京都は職人文化の町だよ」と説明すると、彼は驚いた顔で「クラフトマンシップ？　素晴らしい伝統工芸はたくさんあるけど、クラフトマンはそんなに多くないでしょ」と信じようとしませんでした。

外国人の目には、華やかな京都と地味な職人の世界が結びつかないのかもしれません。日本人だって「京都は観光や商業が盛んだと思うけど、職人の街のイメージはないなぁ」と首をかしげることはあるから無理もない話です。

彼らが京都と聞いて思い浮かべるのは、寺社仏閣であり、舞妓さんや八つ橋であり、茶道や華道など和の文化でしょう。つまり、よそさん向けの「表の京都」です。

そのよそさん向けに発信するイメージも、よく観察してみると、職人文化があるから成り立ってきたものばかりです。金閣寺や五重塔を造った宮大工も職人ですし、舞妓さんの着物やかんざしも、京都のお菓子も、茶道の道具も、職人さんの手で作られてきました。京都の伝統工芸を知る人たちには、職人文化の町という見立てはしっくりくると思います。

第一章で説明したように、京都に暮らす人たちにはそれぞれ役割があります。そのコミュニティでなにか役割が認められないうちは、どれだけ長く京都に住んでいてもよそさん扱いしかされません。

そういう京都的な役割のなかで、外から比較的見えやすいのが、職人たちのあいだにある職業上の役割です。たとえば西陣織は、企画から仕上げまで二〇ほどの工程に分かれ、京都の西陣と呼ばれるエリアにそれぞれ職人さんたちがいます。現代のビジネス用語でいうなら、西陣織のサプライチェーンが集結しているのです。

京都の伝統産業は、そのような分業システムが古くから発達し、同じ業界で生きる人たちが集まってそれぞれの町が成り立ってきました。

自分たちとよそさんをはっきり区別する意識は、古くから同業者ネットワークが存在したことに理由があるかもしれません。自分の本音や核心部分をダイレクトに表現しないのも、おそらく職人文化の一部です。

私たち外国人から見ると、自分の意思や考えをはっきり表現しない点は、多くの日本人に共通しています。日常会話はもちろん、ビジネスでもそうです。たとえば、東京や大阪の人とイベント企画などを進めるときに「日本人はプレゼンテーションがほんま下手やな」と思うことがあります。表現が婉曲的で遠まわし、なにが言いたいのかさっぱりわからへん、という具合です。

職人タイプほどその傾向が強いのは、京都の人たちに通じるところがあります。いろいろ周囲を気づかって、ダイレクトな表現を避けているのでしょう。京都の人たちには、そういう気質の凝縮したものを感じます。

京都に織物産業が興(おこ)ったのは五世紀ごろだそうです。平安京ができるのは八世紀末ですから、帝が住むずっと前から、京都の職人文化はあったのかもしれません。よそさんを悩ませる京都コード、京都リテラシーも、同業者ネットワークが培ってきた職人文化に根っこがあるという見方ができます。

押し寄せる時代の波

御所の南側にある夷川通(えびすがわどおり)は、入口に「家具の街 夷川」という看板があるように、道の両側に家具屋さんやインテリアショップがいくつも見られます。なかには創業一六〇年を超える老舗もあり、同業のお店が道を共有するケースとして、私は二〇年ほど前にフィールドワークを実施しました。家具関係のほかにも、古美術品のお店や老舗の豆菓子屋さんもあって、アンケートや聞き取り調査で一軒一軒を訪ねて歩いたのです。

ここは江戸時代には、障子(しょうじ)や襖(ふすま)をつくる建具屋の町でした。当時、京都の借家は「裸貸し」といって障子や襖がなく、家を借りる人が用意する習わしでしたから、一般庶民(しょみん)がここへ建具を求めにきたのです。道の両側にあった建具屋はやがて家具屋も兼ねるようになり、明治のころには「家具の街」になっていました。

この聞き取り調査で、ある家具屋さんがおもしろいことを話してくれました。

「昔はお客さんのところへ家具を配達することで、次の商売につながっていました。結婚したら婚礼家具、子どもが成長したら勉強机というように、お客さんは家庭の状況に合わせて家具を買われます。お客さんはうちの店に歩いてこられますから、椅子ひとつでも配達するのが当たり前でした。お宅に届けたら、ついでに家庭の状況を観察して家具をおすすめする。ここにベッドが置けますね、もっと大きな本棚はどうですか、とね。そういう商売だったのが、最近は通用しなくなりました」

きっかけは大型家具販売店が増えたことだそうです。町の家具屋さんは、量販店より価格や品揃えで不利なうえに、商売の要だったお客さんとのつながりまでだんだんなくなってきたそうです。自家用車で買いに来るお客さんが増え、椅子ぐらいなら自分たちで積んで帰ります。そうなると、自宅に配達する頻度（ひんど）が減り、お客さんのライフイベントに合わせた御用聞きができません。

家具の街に廃業する店が出てくる一方で増えたのが、インテリアショップでした。夷川通にはインテリア小物を求めるお客さんもいて、家具屋から商売替えするところが出てきたのです。

機織りなどの職人さんが集まる町にも、大きな時代の波は押し寄せています。グローバリゼーションです。

京都の工芸品といえば、伝統的なデザインと職人さんの精緻（せいち）な手仕事で成り立っているものがほとんどです。しかし後継者不足や人件費の問題から、自分の代でやむなく廃業することになった職人さんは数多くいます。そういう製品や部品は、中国などで生産されるようになります。海外で安く生産するしくみができると、京都で後継者を見つけることはなおさら困難になり、伝統産業そのものが衰退していきます。こうした後継者不足による廃業は、京都全体の大きな問題です。

ある伝統産業が衰退していくと、その産業で成り立っていた町の風景が変わります。昔は職人さんの工房だった場所が個人の住宅に変わり、広い敷地ならマンションが建つこともあります。久しぶりに歩いたら、道に迷いそうなほど、風景が変わっているのです。

変わるのは風景だけではありません。たとえば、音です。

私たちの京都精華大学では音の名人の小松正史（まさふみ）先生と昔、「音から見た京都」というワークショップを開催したことがあります。京都の町を歩きながら、その町に特有の音を記録していくフィールドワークです。

たとえば機織りの町では、昔は朝から晩まで町中で機織りの音が聞こえました。朝は決まった時刻に聞こえはじめ、夜も決まった時刻に聞こえなくなる。機織りのバッタンバッタンは大きな音ですが、その土地で暮らす人にとっては、昔から続く〝生活音〟だったのです。

ところが、その町にマンションが建つと、機織りとは無関係な人たちから「朝からバッタンバッタンうるさい」というクレームが入るのです。以前は考えられなかった事態です。町の〝生活音〟が同一ではなくなるのです。

〝生活臭〟も同じです。

以前は夕方になると、となり近所から同じような味噌汁や煮物の匂いが漂ってきたのに、いまはマンションからバジルやパクチーの匂いがする。夕飯の料理の匂いは大した問題ではないですけど、染め物の町などでは匂いについてのクレームがあるかもしれません。

そのような町の変化は、職人文化にも影響を与えるでしょう。だれもがわかっていた職業上の役割がなくなり、同業者ネットワークが成り立たなくなるからです。

京都で一〇〇〇年以上続いた職人文化は、この二〇年ほどで確実に崩れようとしています。

日本研究者の犬騒動

外国には日本について研究する人たちがたくさんいます。ある外国からの研究者が京都に滞在しているときに、ちょっとした問題が起こりました。

彼の研究室がある地域は閑静（かんせい）な住宅街で、周辺には犬を飼っている家もいくつかあります。その研究者が自分の部屋で勉強していると、近所から犬の鳴き声が聞こえてきました。そのうちおとなしくなるだろうと思ったら、すぐ近くでずっと吠え続けています。さすがにうるさくて集中できません。

その研究者は自分の部屋からその家へ出向き、飼い主に犬を静かにさせるように頼みました。そのあとは犬の鳴き声が聞こえなくなり、彼は勉強を続けました。彼にはごくごく日常的なできごとなので、すぐに忘れてしまったほどです。

ところが、あとでその飼い主のほうから、その研究者が滞在していた施設に苦情が入りました。見知らぬ外国人がいきなり家に来て、犬を静かにさせろと文句を言われた。これはいったいなにごとか、というのです。

この施設の内部は大騒ぎになりました。自分のところの利用者が、近隣住民とトラブルを起こしたのです。この施設としては当然でしょう。

その研究者は、勉強に集中できないから、単に「犬がうるさいよ」と言いにいっただけです。犬は静かになって一件落着。どこに問題があるのかとまったく理解できません。

しかし飼い主のほうでは、いきなり家に来られたのも、面と向かって「犬がうるさい」と言われたのも、かなりアグレッシブなふるまいに見えたのでしょう。苦情を言ってきたのですから、心に傷が残るようなできごとだったのかもしれません。

最終的には、施設側が犬の飼い主に謝罪しました。外国人研究者の行為はよくなかったと認めたわけです。

さらに、施設内でカクテルパーティを開いて、近隣住民を招待しました。施設の利用者とじかに接して、悪い人たちじゃないとわかってもらうためでしょう。

「見知らぬ外国人がいきなり家に押しかけてくるから、怖くて眠れない」

そんな話が広まったらこの施設にとってはオオゴトです。

この一件のあと、この施設の利用者には、近所の人になにか言いたい場合は、相手のところへ出かけていくなというマニュアルが配られ、レクチャーがありました。まずはこの施設のスタッフに申し出て、スタッフから近隣住民に話してもらうという手順を踏んでほしいということです。

その周辺は高級住宅街ですから、おそらく住民にとって海外旅行はめずらしくないでしょうし、外国に住んだ経験があるかもしれません。そういう地域でも、ご近所づきあいのルールがあり、そのリテラシーを求められるのです。

壁バンッは「元気かい？」「元気だよ！」

私の友人でマンションに住むマリ人も似たような経験があると話していました。

彼の部屋にアフリカの友人が集まれば、いつもアフリカの音楽を流しながら歌ったり踊ったり、にぎやかなパーティになります。すると、隣室とのあいだにある壁がバンッバンッと鳴ったそうです。おとなりに住む日本人が、壁をたたいてきたのです。

日本人なら隣室からの壁バンッは、「うるさい！　静かにしろ！」と聞こえるでしょう。しかし世界中の人がそうとは限りません。

私の友人は、こちらの音楽に合わせて「盛り上がってるかい！」とあいさつしてきたと受け取ったそうです。そして「イエーイ、盛り上がってるぜー」と応えるつもりで、こちらも壁をバンッバンッとたたきました。

サッカーのワールドカップを友人たちとテレビ観戦したときも、ゴールが決まれば彼らはワーッ！　と歓声をあげ、そのたびに壁がバンッバンッと鳴ります。彼は「いまのゴールはすごかったな！」というバンッバンッだと解釈し、こっちからも「ほんと、すごかった！」という意味でバンッバンッとたたいて返したそうです。

何度目かの壁バンッがあったあと、友人のつとめている会社に電話がありました。

「近隣の方から、いつも騒がしいとクレームが入ったのでやめてください」

彼は思い当たることがないので、びっくりです。

「これまでだれも、うるさいと文句を言いにきたことないよ。だれが言ってるの？」

「おとなりの方です」

そう聞いて、彼は頭の中が真っ白になったそうです。

「そんなはずない、おとなりさんとはちゃんとコミュニケーションをとってる。いつも壁をたたきあってあいさつするんだ。最高に仲よくしてるよ」

彼は本気でそう答えました。おとなりさんからのクレームと聞いてショックだったそうです。

先にショックを受けたのは、おとなりさんのほうでしょう。「ちょっとうるさいよ！」と壁をたたいても、少しも静かにならないどころか、勢いよくバンッバンッと返されるのですから。「となりのマリ人に悩まされている」と友人に相談したかもしれません。

しかし私の友人からすれば、隣人から一度も苦情を言われたことはないのです。壁バンッにこめられた意味を知らなくて、まったく逆のサインだと好意的に受け止めてしまったわけです。

私はたまたま運がよかったから、日本人の奥さんや親しい友人たちがいて、日本での暮らし方を教わることができました。京都リテラシーについても同じです。京都で生まれ育った人たちと交流し、地域に溶け込むことができたから、これまでご紹介したような京都コードを理解しているつもりです。

大分県別府市にある立命館アジア太平洋大学（ＡＰＵ）は、学生の半数近くが外国人留学生であることで知られています。じつは私の弟も、ここの卒業生です。

キャンパスは別府市郊外の山中にあって、留学生の一年生はすべて学生寮に入ります。なるほどと思ったのは、留学生は個室タイプの他、日本人学生とのルームシェアも選べることで、日本人のルームメイトが先生役になって、ゴミ出しの方法とかバスの乗り方とか日本での暮らし方を教えるそうです。それがマスターできると、別府の市街地に下宿する留学生もたくさんいるそうです。これはじつにいい仕組みだと思いました。京都精華大学の寮（国際学生寮・修交館）も同様ですが、すべてがシェアタイプです。

ここ数年で、日本中で外国人の姿を見ることが増えました。観光客も留学生もたくさんいますし、今後は日本に働きに来る外国人がさらに多くなるはずです。

そのときにだれが日本での暮らし方をきちんと教えるのでしょう。ふつうに生活していれば自然と身につくほど、簡単じゃないことはもうおわかりのはずです。日本中でマンションの壁がバンッバンッとたたかれるかもしれません。

外国人は「よそさん」だからと距離をおいていたら、きっとトラブル続出です。そこでどういう仕組みを築いていくか。異なる文化で育った人たちと共生していくには、受け入れる日本人のほうにも相当な体力が必要でしょう。

それが、私が京都の人たちに注目する理由のひとつです。これから日本中で起こることが、ずいぶん前から京都では目立っていると思います。京都の文化が日本文化の凝縮した形だからかもしれません。

婿養子が町を変える

「家具の街」の夷川通で聞き取り調査を実施したとき、京都の人らしいおもしろい話を聞きました。

ある老舗の家具屋さんで、私が「このあたりは最近、インテリアショップが増えたなぁ」と感想を述べたら、「ああ、婿養子や」というのです。インテリアショップから婿養子にいきなり飛ぶのですから、なんの話だか一瞬わからなくなりました。

「婿養子……、このあたりのインテリアショップはどこもそうなの?」

京都の人ならピンときたでしょうけど、当時の私にはさっぱりでした。

これも「役割」の話です。

伝統工芸の町では、素材や部品を作る人たちがいて、組み立てる人たち、仕上げる人たちと、各工程によって役割がはっきりしています。

夷川通には家具屋、建具屋、古道具屋などが最盛期に六〇軒ほどありました。家具屋さんのなかにも、箪笥(たんす)にこだわる店、テーブルや椅子が充実している店など、それぞれ特徴があったそうです。これは「家具の街」に見られた役割といっていいでしょう。

大型家具店に押され、経営不振に陥る店が出てきた時期でも、お互いの役割は守られていたようです。「もう時代に合わなくなった」と、廃業するところも出てきました。

別の地域にある家具屋さんなら、そういう場合は思い切って、商売のスタイルを変更しようかと検討するでしょう。イノベーションで起死回生をねらう経営者がいてもおかしくありません。

しかし商売を変えることは、先代、先々代からつきあいがあるお得意さんを裏切ることになる。食にかかわる店なら、伝統の味を捨て、いま風に変えるのも同じです。

町内の役割からいっても、自分の都合で勝手に商売を変えるわけにはいきません。もちろん、そういう取り決めはなく、暗黙のルールです。

もし町内のだれかがこのルールを破れば、町の秩序が乱れて、みんなの暮らしがおかしくなる恐れがあります。

たとえば、町内で目立ってもうかっている店がある。「あの商売はもうかるらしい」と周りでいくつもの店が同じものを売り始める。もともと棲み分けがはっきりしていた役割分担が崩れる。初めにもうかっていた店も、同業者が増えたことで利益が減る。過当競争になれば、みんなもうからなくなって共倒れになる。町全体の価値が下がり、客足がどんどん減る。競争と無関係だった店まで不利益を被ることになる。

そういう町の全体最適から見た心配です。一店舗の身勝手なふるまいが、古くからのお得意さんを裏切り、町の人たちを裏切り、ちっともよいことはない、というシミュレーションが無意識に働くのかもしれません。だから、お互いに暗黙のルールでしばり合っているのです。

そこで登場するのが婿養子です。夷川通だけではなく、古い町を調査すると、老舗に女の子しかいなくて婿養子を迎えたという話はよく聞きます。マリでは一〇人以上のきょうだいもめずらしくないからちょっと驚きです。

ただ、「急にあんな商売を始めたのは、婿養子だから」という場合の「婿養子」はもっと広い意味のように感じます。つまり、京都の外からきた「よそさん」でありながら、京都リテラシー習得の段階を踏まないで、いきなり中心部で周囲への影響が大きいことをしでかす人の象徴でしょう。

そもそも「よそさん」だから暗黙のルールは知らない。周りにいる京都の人たちも、うまく説明できないからちゃんと教えない。でも行動力や影響力があって、自分の店が生き残るために、商売変えでもなんでもする。お得意さんや周囲の店を気づかってちゅうちょすることはない。もともとの役割から外れたり、他人の役割を侵（おか）したりしても気がつかない。気づいても無視する。

京都に長く住む人にはとてもまねできないことです。

そういう存在をまとめて「婿養子」と呼んでいるように思います。「そんなことができるのは婿養子以外に考えられない」ということでしょう。

京都人は気いつかい

外部の人に見えにくい暗黙のルールは、おそらく日本中どこでもあるでしょう。田舎はもちろん、大都会にもあるはずです。

人が集まるコミュニティには、ルールやしきたりが自然とできるもので、古くからいるメンバーは無意識に守っています。メンバー規約みたいに明文化されることのほうがめずらしいでしょう。

だから新しいメンバーは、このコミュニティにはどんなルールがあるかを知ろうとします。つまり、空気を読むわけです。世話焼きな人がいれば、ルールやしきたりをちゃんと教えてくれることもあるでしょう。そういうことは日本中どこでも見られるし、日本に特有な話でもありません。日本人が外国に住めば、どこにも書いていないルールがたくさんあることに驚くはずです。

しかし京都ほど、ルールやしきたりが強烈で、わかりにくいところはほかに知りません。挨拶、打ち水、お祭り、町内会といった京都人だけがシェアする生活行動はたくさんあって、そういう暗黙のルールが京都の町と生活の風景を形成してきたことが考えられます。

なにか問題があっても、はっきり口に出して注意しないから、ルールを感知できない人は永遠に知らないままです。おとなりの大阪なら「ちょっとあんた！　そんなことしてたらあかんやん」とはっきり注意してくれるから、ひとつひとつ学習していけます。でも京都では、「お子さん、元気でよろしいな」と言われて、「子どもの声がうるさい」という苦情だとわかるようになるまで何年もかかるでしょう。

ただ、京都の人は、自分たちの生活圏に入ってきた「よそさん」を排除するわけではありません。自分から声をかけて、ちゃんと関係を築こうとします。それが反語的、婉曲的な表現だというだけです。

私から見ると、京都の人は他人様にものすごく気をつかって暮らしています。コミュニティのルールを守り、与えられた役割を果たすためのエネルギーは相当なものでしょう。「こんなに気をつかって暮らしてるんだから、あんたらも少しは気づいてルールを身につけなさい」

京都の人たちが「よそさん」のふるまいにあれこれ口を出すのには、そういうメッセージがこめられているように思います。とにかく他人への目配りがすごいので、「あなたたちも周りをよく見なさい」という圧力を感じます。これは京都に長く住んで、ようやく感じられるようになったことです。

これが東京なら、相手を受け入れるつもりはないから、初めから関係をもとうと考えないでしょう。京都人の反語的で嫌味な声かけは、それに比べればまだ温かみがあるのかもしれません。京都のコアな伝統を守るために、「よそさん」を教育しながら慎重に受け入れてきたのです。

しかしここ二〇年の環境変化は、そういう伝統的な受け入れ方をむずかしくしているように見えます。テクノロジーの進歩で伝統的な仕事が減り、グローバル化によって外国人の数が増え、外国資本が京都の不動産を買い漁るようになった。町の風景がどんどん変化し、京都の人たちが守ってきたものが失われていく。これは一二〇〇年を超える歴史になかったことかもしれません。

京都精華大学にはなぜ老舗の子が多いのか

自分からイノベーションを起こさない姿勢は、すべての京都人に当てはまるわけではありません。京都の老舗であっても、若い世代には、時代の変化に合わせたビジネスを考えている人たちがいます。親たちに言わせれば、これは由々しきことで、当然のように親子の対立が起こります。思うようにならない若い世代は、ものすごくフラストレーションを溜めています。

そんな家庭の事情まで、どうして私が知ってるかといえば、私は親の世代とも子の世代とも仲よくつきあっているからです。親の世代とは、私が京大時代に鴨川の河原で国際交流イベントを開催したとき、スポンサーになってもらってからのおつきあいです。九〇年代から「水の会」などの老舗店主たちの集まりに呼んでもらっています。一方で、そのころはまだ学生だった子ども世代が、いまは社会人となって、やはりネットワークを築いている。私はそっちの集まりにも呼んでもらうことがたびたびあります。京都では学者と外国人は、わりとすぐに受け入れてもらえるので、その両方である私はいろいろな集まりから声をかけてもらえるのです。

老舗の商店だけではありません。日本人ならだれもが知っている世界遺産クラスのお寺もそうです。将来、そのお寺を継ぐことになる跡取り息子たちの誕生日会などにも呼ばれます。

みんなファッショナブルな服装で、一見すると、おしゃれなスキンヘッドの集団みたいです。しかしそれははじめのうちだけ。お酒が入るとみんな機嫌がよくなり、ものすごく座が乱れるのがだいたいのパターンです。「これでもみんな、大きな葬式でお経を読んでるんだろうな」と感慨深いこともあります。将来、有名な寺院を継がなくてはいけないというプレッシャーが大暴れさせる理由かもしれません。

私が学長を務める京都精華大学は、そういう京都のプリンス、プリンセスたちが不思議と多いところです。芸術、デザイン、マンガ、ポピュラーカルチャー（二〇二一年からメディア表現）、人文（二〇二一年から国際文化学部人文学科）といった学部があり、京都のなかではわりと自由な校風という評価があるせいかもしれません。プリンス、プリンセスが集まってくると話したら、「ああ、わかる。精華大はパンクだから、家業のしばりに悩む若者たちが青春期の自由を謳歌（おうか）したいんですね」と妙に納得されたこともあります。

たとえば、詩人の菊地明史くんも在籍したひとりで、一年の時に私のゼミ生でした。現在は、自作の詩をラップ風に朗唱するポエトリーリーディングを職業としています。名前は、菊地明史と書いてキクチミョンサと読み、ｃｈｏｒｉという芸名もあった三〇代半ばの詩人です。

彼のお父さんは、千宗室さんです。つまり、四〇〇年続く裏千家の家元。長男の菊地明史くんは、本来なら家元を継ぐ立場でしたが、弟さんに継いでもらって、自分は千という苗字も捨てました。

彼はよく私の自宅やカフェへ遊びにきて、詩人として生きるかどうかの悩みを話していました。お茶や裏千家のことを悪く言うのを聞いたことはなく、お父さんのことも尊敬しているようでした。ただ、自分のやりたいことがどうしても捨てられなかったのです。

京都精華大学には、ほかにも日本の精神文化を象徴するような家の息子、娘たちがいます。話を聞けば、たいてい家のなかはいろいろ大変で、逃げ出したくなる気持ちはわかります。しかしプリンス、プリンセスのほとんどは、菊地明史くんのように苗字を変えてまで自分が選んだ道を進もうとはしません。自分が生まれ育った京都には誇りがあり、その京都でも名家として知られる実家をそう簡単には捨てることができないのです。

先代はリスペクトしているけれど

私がお世話になっている水の会では、七月に毎年恒例の夏祭りが開かれます。生麩の老舗で知られる「麩嘉」さんの本店と、その前の広い駐車場が夏祭りの会場です。駐車場にはテントが張られ、有名な割烹やレストランが焼きそば、おそば、焼き肉、かき氷、スイーツなどを夏祭りらしく提供します。本業とはちょっと違うものというのがおもしろいところです。お客さんは一〇〇〇人以上になりますが、食べ物、飲み物はすべて無料です。水の会で負担しているのです。

その夏祭りで、作庭家の小川勝章さんにお会いしました。小川さんのお父さんは、一一代小川治兵衛といって洛翠庭園、有芳園など数々の庭園を現代によみがえらせた作庭家です。

小川治兵衛の初代は、江戸時代中期に武士から作庭家になった人で、帯刀を許されていました。歴代の小川治兵衛でカリスマとされるのが、明治から昭和の初めまで活躍した七代目です。山県有朋邸（無鄰菴）、平安神宮神苑、円山公園、西園寺公望邸（清風荘）などを手がけ、近代日本庭園の先駆者とされています。

小川勝章さんは次期一二代で、お父さんに師事して、いくつもの庭園を手がけています。精華大の卒業生ではありませんが、プロジェクト演習という科目で共同担当をし、大学内で作庭をしてきた間柄です。伝統産業演習でもお世話になっています。

小川さんは、京都新聞の朝刊で二〇一一年から二年半ほどコラムの連載を担当していました。作庭の仕事を中心に京都の美や伝統を解説するコラムは、多くの愛読者がいたようで、私も毎回おもしろく読んでいました。

小川さんは、お父さんの庭をよく研究していますし、相当にリスペクトしていると思います。しかし、庭の見方は違うようなのです。

「このあいだ、テレビに出演して庭のことを話したんです。そしたら親父から久しぶりにスマホにメッセージが届いて、『お前はなにをわかったふうなことしゃべってるんだ』って。嫌な汗が出ましたね」

お父さんの時代は、口数が少ない職人文化が当たり前でしたから、新聞にコラムを書いたり、テレビでしゃべったりすることは作庭家らしくないのでしょう。職人はしっかり修業して、自分の信念や発案は作品にこめればいいので、ベラベラと説明するものではないのです。

小川さんとはプリンス、プリンセスの集まりでお会いすることもあります。いまの三〇代、四〇代は苦しいジェネレーションだという認識から、横のつながりが強いのです。先代、先々代と同じ商売のやり方は、二一世紀にはもう通用しないのではないか、という強い危機感がベースにあるようです。

親の修業時代と比べても、現在は社会のしくみがまるで違います。ネットなどで自分たちから情報発信して、世界中でお客さんを見つけることができます。新しい技術を取り入れないとすぐに置いていかれる。異分野の才能とコラボレーションして、イノベーションを図ることもできる。そうしなければ、生き残っていけないという危機感があるのです。

伝統の技は大切にしつつ、もっと強くアピールしたり、工夫を加えたりできるのではないかと考えても、親の世代が頑（がん）として聞き入れてくれない。親だけでなく、親戚も親の仕事仲間も束になって反対する。そういう葛藤、あつれき、摩擦、確執に悩まされているジェネレーションなのです。

ただのジェネレーションギャップなら、それほどめずらしい話ではありません。親たちの世代も、若いころは先代、先々代の言うことを聞かないでやんちゃしていたに違いありません。

菊地明史くんのお父さんも、家元を継ぐずいぶん前にロックバンドのギタリストだった時代があるそうです。京都ですき焼きといえば、明治六（一八七三）年創業の「三嶋亭」

が有名です。五代目の三嶋太郎社長は、若いころはロン毛で髭(ひげ)をはやしたサンバダンサーでした。五〇代半ばになった現在では想像できない人もいると思います。私は九〇年代にフランス語を教えていたので、当時のことはよく知っています。お父さんが病気で倒れて、家業を継ぐことになったとき、はじめてお父さんの偉大さがわかったというのです。

家業しか経験してこなかった人に比べれば、別の世界に触れてから家業を継ぐほうがいいかもしれません。異質な文化の組み合わせで、本業のプラスになることもありそうです。そういう形での世代交替は、おそらく京都でも繰り返されてきたのではないでしょうか。

しかしここ二〇年、三〇年で起きている変化は、そのようなジェネレーションギャップとは違うように見えます。京都の人たちが守ってきたものを、守り切れない状況を迎えようとしているのかもしれません。

姉小路界隈の町式目

二〇一九年夏に、京都を研究する者にとってじつに興味深いテレビ番組が放映されました。NHKスペシャル『京都 百味会~知られざる〝奥座敷〟の世界~』です。懐石料理の「瓢亭」、八つ橋の「聖護院八ッ橋総本店」、羊羹(ようかん)の「とらや」など、京都でも老舗中の老舗六七店が加盟する「京名物 百味會」にはじめてテレビカメラが入った画期的な番組でした。私がよく知る老舗店のご主人、跡継ぎのお子さんたちも登場していました。

青年会で、ある老舗の跡継ぎさんが父親との会話を「宇宙人と話しているみたいだ」と表現していたのには思わず噴き出しました。私が呼んでもらうプリンス、プリンセスたちの集まりでも似たような話がよく出ます。コミュニケーションがうまくいかないと感じているのは「よそさん」だけではないのです。

親たちは先祖から受け継いだ暖簾(のれん)を守り、子どもに渡そうと考えている。しかし子どものほうには、暖簾の重みを理解しながらも、ただ守るだけではこれからは生き残れないという危機感があります。

これは老舗だけの問題ではなく、京都の街が直面している問題かもしれません。

夷川通から南に下ったところに、姉小路通(あねやこうじどおり)があります。ここはその昔、衣類や道具の修理屋さんが集まっていた道で、現在は老舗の町家と住宅が見られます。北の御池通、南の三条通に比べれば道は細くて地味ながら、京都のど真ん中で便利のいいところです。

この姉小路通では、九〇年代のマンション建設問題がきっかけとなり、住民たちがまちづくりの活動を進めてきました。「姉小路界隈(かいわい)まちづくり協議会」という組織です。

この界隈では性風俗店、パチンコ店、麻雀店、ナイトクラブ、カラオケボックスなどの建物をつくれません。さらに、深夜営業のコンビニも建てられません。建物の高さは一八メートルまで、家主が同居しないワンルームマンションも建設禁止です。

新しく建物を建設するときは、地元の「地域景観づくり協議会」に相談しなくてはいけません。このことは京都市の条例でも認められています。

私はこの取り組みに関心をもち、学生たちを連れて調査に出かけ、たびたび話を聞かせてもらいました。京都ではちょっとめずらしい動きだと思ったからです。

風俗店などの営業に住民が反対するのはわかります。それだけでなく、「町の文化を守っていく」という姿勢を示したことに興味をひかれました。

江戸時代の町衆が決めた町式目（自主規制）にならって、二〇〇〇年に策定した六か条の現代版「姉小路界隈町式目」です。

1．姉小路界隈が大切に育んできた「居住」と「なりわい」と「文化性」のバランス、そのバランスの維持を意識しながら発展するよう、地域の人が協力してまちを支えましょう。

2．姉小路界隈は住み続け、なりわいを表出するまちとして、その界隈性を守り育む「人」や「なりわい」を受け入れ、支えましょう。

3．姉小路界隈は、なりわいの活気と住むことの静けさが共存する、落ち着いた風情のまちです。この環境や風情を大切に、その維持に努めましょう。
4. 生活やなりわいの身丈に合った、姉小路界隈の低中層の町並みを維持しましょう。
5. 姉小路界隈は、まちへの気遣いと配慮を共有したまちです。周囲（まち）との調和を了解しながら、それぞれの個性を表現していきましょう。
6. 姉小路界隈の通りは、地域の人に「もてなしの心」を表現する場として認識され親しまれてきました。その思いを継承し、より心楽しい美しい通りになるよう努めましょう。

この町式目は、姉小路界隈に続いてきた町の文化を伝えるものです。京都の外から引っ越してくる人も、これを見れば、町の人たちが大切にしているものがわかるでしょう。

町の文化を大切にする京都でも、これだけのことを決めるには相当なエネルギーを要したはずです。二〇〇二年に「姉小路界隈地区建築協定」を締結したときは、約一〇〇軒の家々が実印を捺（お）したそうです。

ご近所さんの賛同が得られたのは、ただ利益を追求するだけの町にはしたくないという思いが共通していたからでしょう。地縁社会が壊れて、社縁社会が進んでいくのを防ぐ。もともとあった共同体を継承したい。そういう思いの表れかもしれません。

周囲の通りがどんどん発展し、利益追求型の社縁的なつながりが強くなったから、むしろ地味なところを大切にして守っていきたいという考えもあったでしょう。

もちろん、近所に深夜営業のコンビニや風俗店、パチンコ店がほしいと思う人は、引っ越してこない。それでもいいということです。

第四章　京町家の謎

鴨川等間隔の法則

鴨川のほとりは、いつもたくさんの人であふれています。観光地としても有名ですが、鴨川は昔から京都人の憩いの場なのです。

三条から四条にかけては、夏になると納涼床でにぎわいます。鴨川と高野川との合流地点の三角州は「鴨川デルタ」と呼ばれ、飛び石が有名です。ドラマやアニメでもよく登場するこの飛び石をつたって、川を渡る人たちの姿をよく見かけます。

でも若い人たちが、鴨川と聞いて思い浮かべるのは、なんと言っても「等間隔の法則」でしょう。いつ来ても、だれが見ても、つねに整然と同じ距離を保って座っているカップルは、すっかり鴨川名物となっています。(※写真)

不思議ですよね。これだけ多くの人が行き交っているのに、だれ一人として和を乱す者はいない。お互いに相談しているわけでもないのに、なんと美しき等間隔！　鴨川を通るたびに、私もつくづく感心します。

でも、この美しき等間隔は、鴨川のほとりに限った話ではありません。だって、これまでに日本のさまざまな場所で同じような光景を見てきましたから。

鴨川のほとりに等間隔に座るカップル

そう考えると、京都の人たちだけでなく、日本人がそもそも空間に対する独特の高い感性を持っているのかもしれません。

たとえば、あるお寺の座禅会に参加したときのことです。私は適当な場所にどっかりと腰を下ろしただけでしたが、気がつけば日本人のほかの参加者は、となりの人との間隔をきれいに保って座っていました。

花見の場所取りのような真剣勝負のときでさえ、日本人は、先に敷かれてあるブルーシートを尊重します。そこに人の姿はなくても、まるでだれかに見張られているみたいにブルーシートに触れることはありません。ベストスポットから遠くなったとしても、相手の領域を侵さない範囲で、お行儀良くシートを広げるのです。

ほかの国では、あまりこうした光景を見かけません。パリのポンピドゥーセンターの前でも、中国やチベット、モロッコの広場でも、人々は思い思いの場所に立っているだけ。なんの法則性も感じられませんでした。

なぜ、日本では「鴨川等間隔の法則」が成り立つのか。

これには、いわゆるパーソナルスペースの問題が大きくかかわっています。パーソナルスペースとは、他人が入ってくると不快に感じる領域のことで、言ってみれば心理的なナワバリです。

たとえばガラガラに空いている電車では、みんな、なるべくほかの人と離れた場所に座ろうとします。となりの席に荷物を置く人も多いですね。これも、パーソナルスペースへの侵入を防ぐ盾のようなものでしょう。そうやってみんなが荷物を置いて自分のナワバリを確保していくと、人、荷物、人、荷物、という等間隔のできあがりです。

もちろん、どこまで立ち入られると嫌だと感じるかは、その人の性格や、相手との関係性によって変わってきます。そして、文化や民族によっても違います。

鴨川等間隔の法則が成り立つのは、日本人が同じようなパーソナルスペースを共有しているからでしょう。おそらくほかの文化圏の人よりも、日本人のパーソナルスペースは広いのかもしれませんね。日本人どうし、お互いに適度な距離感がわかっているから、はじめて会った者どうしが集まっても、個別に相談などしなくても、自然と等間隔を保つことができるのです。

でも、もしはじめて日本を訪れた外国人が鴨川のほとりにやって来たら、となりとの距離感などまったく気にせずに、手近に空いているスペースに座ってしまうはずです。そうしたらきっと、あいだに入られた両どなりの日本人のほうが、居心地が悪くなるのではないかな。そろりそろりと移動しながらとなりとの距離を調整して、またきれいな等間隔を作り上げるのではないでしょうか。

植木鉢でナワバリを誇示する

鴨川のほとりの光景からわかるのは、空間は、人びとの感覚や行動、生活様式などによって作られるということ。言い換えれば、空間の使い方は人が決めるものなのです。

鴨川のほとりは、だれでも自由に出入りできるパブリックスペースですが、その中でも人は自分のパーソナルスペースを確保しようとします。いくら公共の空間だといっても、自分のナワバリが脅かされるような場所に、長居はしたくないですよね。つまり、単にパブリックスペースだから人が集まるのではなくて、自分たちの心地良い距離感が保てる場所だから、みんな、集まってくるのではないでしょうか。

たとえば、昔はよく自宅の前の道に植木鉢を置いている家がありました。いまの都会でそんなことをしたら「道路交通法違反だ」とすぐに通報されそうですが、古い住宅地の奥の路地などでは、いまでもたまにそんな家を見かけます。

じつはこの家の前の植木鉢は、ナワバリ意識の表れだという研究があります。自分のとなりの席に荷物を置いて、パーソナルスペースを確保するのと似たようなものでしょう。さらに、ほかとは違う自分らしさを表す目印を出すことによって、ここが自分のナワバリであることをアピールしているのです。

もちろん、目の前の道が公共のものだということは、家の住民だってよくわかっている。でも、そのなかで自分のナワバリをうまく確保できると、これほど安心なことはありません。その場所に愛着を感じるようにもなるでしょう。

むしろ、公共の道のなかで自分のナワバリを認めてもらえたら、ほかの人のナワバリも素直に認めることができる。自分のナワバリをアピールする必要がなくなれば、公共の空間をみんなと分かち合おうという気持ちもわいてくるはずです。

そんなふうにして、同じような空間意識を共有していった人たちは、コミュニティの仲間としてきずなを強くしていきます。逆に、自分たちの空間意識を共有できない人は、「よそさん」なんです。

京都人の優れた空間意識

そのように日本人は空間意識が発達していると私は見ています。なかでも、独特な感覚が観察できるのは京都の人たちです。

以前、空間意識の調査として、京都の町なかで人が留まる場を研究室で調べたことがあります。ちょっとした地元の休憩スペースとなっているのは、どういう場所かという調査です。公園や寺・神社などを利用する人ももちろんたくさんいるのですが、おもしろいのは、なにがあるわけでもないデッドスペースを利用する人が意外と多かったことです。

デッドスペースとは、都市のなかでとくに使いようのない「無駄な場所」のこと。たとえば、郵便局の横だったり、地下鉄の出口付近だったり、河川敷だったり、昔ながらの路地の一角だったりします。とくにベンチや灰皿が置かれているわけでもないのに、しばらくそこに留まっておしゃべりをする人、荷物整理をする人、段差に腰掛けてひと休みする人がたくさんいたのです。

当たり前のことですが、近代の都市計画では、空間の機能は明確に決められており、「無駄な場所」は発生しません。ただの空き地であっても、それは公園なのか、緑地なのか、広場なのかがはっきりと分類され、法律の基準に従って必要な設備が設置されます。

公園でもなく空き地でもない場所

でも、そうして生まれたいまどきの公園は、意外と窮屈な場所だったりもします。たとえばボール遊びができない、芝生に入ることが禁止されている、近隣の迷惑にならないよう、大声で騒ぐと注意されることもあります。まったく、子どもたちはどこで騒げっていうんかいな。

そんな近代的な公園よりも昔ながらの路地の一角のほうが、地元の人びとにとっては、ずっと落ち着ける空間だったりもする。もともと京都には休憩スペースが少ないという事情もあるのですが、近代都市のなかで置き忘れられた「無駄な場所」——研究室では、これらの場所をアンビギュアス（ambiguous）スペースと名付けている——が、いまでも意味のある場所として人々に利用されている。これは、とても興味深いことだと思います。

多くの人が自然と集まってくる鴨川のほとりも、京都人にとって心から落ち着ける場所のひとつなのでしょう。

ところが、そんな鴨川のほとりに座るのは、じつは違法行為だと知っていますか？　ベンチが整備されている場所は問題ないのですが、それ以外は河川敷に分類されます。浸水や氾濫の危険のある河川敷に座るのは、防災上、禁止されているのです。

しかし鴨川のほとりを閉め出されたら、いったい京都の若者はどこでデートをすればよいのでしょうか。鴨川等間隔の法則は、もはや京都の風物詩。鴨川を抜きにして京都人の青春の思い出の一ページは語れないだろうと思うのですがね。

マリの広い中庭が原点

故郷のマリでの暮らしを思い出すとき、真っ先に頭に浮かぶのが、家が取り囲んでいる大きな中庭の光景です。

一日の生活は中庭からはじまります。家族の顔合わせの場、挨拶を交わしながらお互いの機嫌を確かめたりします。

また、中庭は日常生活以外にも、様々な行事の場となります。社交の場、夜に家族で遊ぶ場、勉強をする場、友人が来る場となるのです。

マリの住居は大家族が住むだけでなく、親戚や知り合いがよく訪ねてきて、そのましばらく居着いてしまう、なんてこともめずらしくありません。知らないうちに人が増えていたりするので、四、五人で雑魚寝（ざこね）するのが当たり前でした。私の家では、いつも二〇人から三〇人くらいが集まっていましたね。

そんな話をすると、そんな大人数がいったいどうやって暮らしているのかと不思議がられます。じつはその秘密が、広い中庭にあるのです。

マリの住宅は塀に囲まれ、敷地の中心に中庭が広がっています。それを取り囲むように、寝室や台所、トイレ、倉庫などの建物が外塀に沿って建てられるのです。

寝室棟は完全にプライベートな空間で、家族の個室が並んでいます。その手前にはベランダやテラスが置かれていることもあります。

私の家の敷地は、六〇〇平方メートルくらいありました。日本の住宅事情からすると、とても広いように思えるかもしれませんが、マリでは普通です。

なんせ大家族ですから、だれかが結婚したり、子どもが生まれたりすると、新しい家族のための部屋を増築しなければなりません。そうなると、どんどん窮屈になります。五〇人以上が一緒に暮らしている家も多いですし、農村部にいくと一〇〇人近くにふくれあがることもある。一人あたりの面積を単純計算すれば、日本のワンルームマンションよりもせまくなります。

こんなぎゅうぎゅう詰め状態で、どうやって生活しているのか。それは、みんなが中庭をうまく使い分けることで、日常生活を調整しているのです。

中庭は、みんなで共有する生活空間です。そこに暮らす人々は、寝ている以外の時間を、ほとんど中庭で過ごしています。おもしろいことに、人数が増えて窮屈になるほど、人々の生活が中庭に張り出してくるのです。

中庭にはたいてい大きな木が一本以上あり、みんながその木陰に集まって、にぎやかに食事をしたり、団らんをしたりします。井戸の周りでは、皿洗いや洗濯などの作業をするほか、文字通り「井戸端会議」も行われます。

中庭に置かれた水瓶の水は、だれもが自由に飲めるようになっていて、ときにはのどが渇いたからといって、通りすがりの人が立ち寄って、ひと休みしていくこともあります。

子どもたちは、テラスに置かれた机を共同で使って勉強をします。もちろん勉強が終われば、中庭で一緒に遊びます。

つまり中庭は、時間帯により、場面により、いろいろな用途で使われます。調理用具が持ち出されれば、キッチンと化し、お皿が並べられれば、ダイニングになり、椅子が置かれたスペースはリビングとなります。必要な生活用具を置くことで自分たちの生活行動の範囲を確保し、ほかの人びとと領域を譲り合ったり、交わったりして、うまいこと調整しながら暮らしているのです。

マリと日本の伝統的な空間意識は近い

まさに生活の知恵と言えるものですが、これはマリに限ったことではありません。たとえば、サハラ砂漠のど真ん中に作られた単純な風よけスペースにも、アジアの片隅の「スラム街」と呼ばれるような街角にも、複数の用途に使える多層的な生活空間を作り出している例を見て取ることができます。

私は、このような事例に興味がつきません。実際にそこに暮らしている人ならではの生活の知恵が、おもしろくてたまらないのです。近代建築では「一空間は一機能」を原則としていますが、生活者の知恵は、空間作りのプロフェッショナルである建築家の知見を超えているのではないか、とさえ思うことがあります。

実際、どんなに美しく合理的な建築物を作っても、その土地の昔ながらの生活が崩れてしまったり、コミュニティがうまく作れなかったりという近代建築の失敗例もたくさん報告されています。建築はただのハコではなくて、そのなかで生身の人間が生きているわけですから、デザインや機能ばかりを優先するのは、建築家のエゴではないかと思うのです。もともと私の専門は建築学です。マリで大勢の人と暮らしてきたことが原点になっているのかもしれませんが、昔から住宅計画や集合住宅に興味がありました。中国に留学していたころから建築を学んでいて、実際に建物の設計も手掛けてきました。

京都大学時代にも、公団の建て替えや町家の現状など、いろいろな住宅の調査・研究に携わりました。ちょうど環境問題が世界的な関心事になっていて、その土地の生態系を生かした自然空間を復活させるビオトープ作りなどがはやっていた時代です。私も環境共生建築の研究に没頭していました。執筆した論文も高く評価され、これからの建築の可能性を感じて、ワクワクしていました。

でも次第に、疑問や矛盾を感じることも増えてきました。当時はさかんに環境との共生が言われていましたが、もし本当に環境負荷を減らそうと思うなら、基本的に全員が階段を使う設計にすればよいでしょう。電力を使うエレベータやエスカレータの利用は、お年寄りや子ども連れ、身体の不自由な人など、それが本当に必要な人だけに限ればすむ話です。ところが企業も行政も、なかなかそこまで思いきった決断ができません。

いろいろと事情があるのはわかります。でも、華々しく「環境共生」がうたわれても、それを本気で進めようとしている主体がどれだけいるのかな、もしかしてイメージで語っているだけじゃないのかなと疑わしい気持ちも湧いてきました。

阪神・淡路大震災に襲われる

ちょうどそんなことを思っていたころに、阪神・淡路大震災が起こったのです。地域の町を破壊し、コミュニティを引き裂く大災害でした。そして復興の道のりでは、行政が目指す理想的な耐震都市のあり方と、住民が求める慣れ親しんだ地域コミュニティのあり方とはこんなにも違うのかと、大きなギャップを目の当たりにすることになります。

さらに同じ時期、故郷のマリで行った講演も大きな転機になりました。環境共生について話をしたのですが、これがまったく受けません。というのも、そもそもエネルギーの使いすぎは、先進国の問題だろうと彼らは言うのです。水道も電気も満足に引かれていないマリで、「環境を大切にしよう」と訴えても、なにを言ってるんだという反応しか返ってこない。そう言われればその通りで、返す言葉もありません。

そんな経験から、大切なのは建築の機能ではなくて、そこに住まう人なのだという思いが強くなっていきました。空間人類学という研究テーマを選んだのは、そのためです。まだ学問分野として確立しているわけではありませんが、空間人類学とは、人の行動や心理、関係性などから空間を考察しようというものです。

そこに住む人たちに目を向ければ、住まいや暮らしのあり方が見えてくる。だから私は積極的にフィールドワークを行います。実際に町に出て、人びとと触れ合いながら学ぶことを大切にしています。

そして、空間人類学の視点で見直してみると、京都の町のいろいろな謎がとけてくるのです。

道をはさんだおつきあい

昔ながらの京都の朝は、門掃き（かどはき）と打ち水から始まります。家の前の道を掃いてきれいにした後、水をまいてほこりをしずめるのです。朝一番、ご近所さんがぼちぼちおもてに出て来て、「おはようさん」とあいさつを交わすようすを見ていると、ああ、今日も一日が始まるなという気持ちになります。

じつはこの習慣には、暗黙のルールがあります。きっちりと自分の家の前だけきれいにするのは、なんだかよそよそしい。かといって、おとなりさんの家の前まできれいにしてしまっては、相手のメンツをつぶすことになってしまう。だから、おとなりさんとの境界線をほんの少し超えたくらいまでにしておくのが、ちょうどよいのです。

この「ほんの少し」が大切です。「ほんの少し」をみんなが実践したら、道全体がくまなくきれいになります。そうなれば、ご近所づきあいが円滑になり、地域のきずなも深まるでしょう。

これは、私が所属した京大の研究室の調査でも裏づけられています。祇園の町で、各家が打ち水をする範囲を計測してみたところ、隣家との境界線に重なるところと重ならないところがありました。調べてみると、重なりの多いほうが人間関係もうまくいっていることがわかりました。

打ち水は、家の前に置いた植木鉢と同じようなものでしょう。自宅の前で打ち水をすることで自分のナワバリを確保する。相手のナワバリを尊重して、隣家の前までは手を出さない。でも、その境界線上はあいまいな領域として、お互いに認め合う。その空間を共有することによって、自分の家の前の道が「みんなの道」になるのです。

道は産業の集積地

こんなふうに町割りが変化していったのは、人びとのあいだで道の重要性が増していったからです。平安時代の初め、新しい都に人が集まり、庶民の住まいとして小屋が建てられます。このころにはまだ、塀に囲まれた家が多かったようです。やがて商業が発展すると、道に面した店舗兼住宅が増えてきました。こうした小屋が、いまの町家の原型とされています。

道と家が直接つながると、道を中心としたコミュニティが生まれます。道の真ん中には井戸や洗濯場が作られ、みんなで集まって作業をしたり、うわさ話に花を咲かせたりしていました。

さらにこのコミュニティは、庶民の自治・自衛組織としても発展していきました。両側町が成立したのは、室町時代の応仁の乱前後だといわれます。戦(いくさ)が続いて、京都が大混乱に陥っていた時代だけに、防犯の面からも、道をはさんで結束する必要があったのかもしれません。

道は産業の集積地でもありました。

伝統工芸のさかんな京都では、早くから職人さんたちによる同業者コミュニティが作られてきました。同じ仕事の者たちが集まって住むことで、技術や情報を集積し、効率的な分業体制を作り上げてきたのです。

いまも通り名に、そのなごりを見ることができます。丸太町通には材木商が集まり、たくさんの丸太が運ばれていました。竹屋町通は、文字通り付近に竹屋が多かったそうです。寺町通は、豊臣秀吉が寺社をこの地に集めたことに由来し、仏具店もたくさんあります。このほか、二条通は薬屋、夷川通は建具屋など、同じ仕事をしている人たちが同じ道に住んで、職住一体のコミュニティを形成していたのです。

道ごとに作法やルールは違う

道によって職業が決まっていたので、同じ道には同じ音が響き、同じ匂いがします。ある道に入れば、ガシャン、ガシャンという機織りの大きな音が聞こえてきました。別の道に入れば、薬を煎じる独特の匂いが漂ってきます。

同じ仕事をしていれば、生活のリズムもほとんど同じです。門掃きや打ち水のやり方も、道ごとのお作法が生まれます。開店時間や休業日をそろえているケースも少なくありません。

これだけ同業者が集まればライバル意識もわくと思うのですが、競い合って腕を磨くと同時に、地縁で結びついた運命共同体として、お互いに支え合い協調しながらやってきた。

道を共有することは、人生を共有することだったと言っても、大げさではないかもしれません。

さらに京都の道には何層もの序列があり、奥深い世界を作り出しています。街中を歩いていると、大路、小路と呼ばれる通りのほかに、「路地（ろおじ）」と呼ばれる小道をいくつも見つけることができるでしょう。

建物が道に面して作られるようになると、建物の裏側、つまり道に囲まれたブロックの中心部分が、ぽっかりと空き地になってしまいます。これを有効活用するために、通りから空き地に入れる小道を作ったのです。通りから通りへ突き抜けられる小道を「図子（ずし）（辻子）」、袋小路になっている小道を「路地」といいます。

路地裏には、職人さんや丁稚（でっち）さんなどその家の商売の関係者の住まいなどがありました。路地は、身内だけが顔を合わせる、より濃密で小さなサブコミュニティと言えるでしょう。京都にはいまでもたくさんの路地が残っていて、入口には住んでいる人の表札が掲げられていることも多いのです。

京都における道は、人や車が往来するための単なる通路ではありません。道は、人びとが交流する広場のようなコミュニティの生活空間であり、私は「道空間」と呼んでいます。

世界の道空間

世界にも似たような道空間があり、中国には、北京の旧城内に胡同（フートン）といわれる昔ながらの路地が残っています。フランスのパサージュは、一九世紀以降のパリに見られるアーケードのついた歩行者用の商店街で、もともとは「小径」という意味の言葉でした。これらは道でありながら、ただ通過するだけではない。いわばマリにおける中庭のような存在です。

京都では何百年も前から、道をはさんだおつきあいが続いてきました。時代が移り変わり、昔ながらの商売は止めてしまっても、土地の履歴はみんなが共有しています。だから商売替えして何十年も経っているのに、いまだに「○○屋さん」と昔の屋号で呼ばれたりするのです。

町家の謎

はじめて京都の町家にお呼ばれしたのは、研究室で町家視察と夏祭りを兼ねたパーティをしたときでした。

最初は家に上げてくれず、上がりかまちに腰を掛けたままお茶が出されました。その時に、町家にはプライベートな空間とパブリックな空間があるのだと気づかされました。驚いたのは、靴を履いたまままのスペース（土間）が広いことです。

二回目に別の友人の家をたずねた時には、広間に案内されました。町家は、その人との関係や立場によって案内される空間が異なるのだとわかりました。

京都の町家は、とても不思議な造りをしています。せまいところにぎゅうぎゅう詰めに建てられていて、となりの建物と密着しています。ずいぶん細長い建物で、表からのぞいてみると、どこまで続いているのかよくわかりません。なぜこのようなユニークな建物ができたのでしょうか。

町家は、商人や職人の店舗兼住居として生まれました。その特徴のひとつは、よく「うなぎの寝床」などと呼ばれるひょろ長い造りです。間口は約三間、つまり六メートル程度しかありません。

これは江戸時代に、間口の幅で税金の額が決められていたためだと言われています。少しでも負担を減らすために、間口がせまく奥行きが深い造りになったのだそうです。このほかに、都に流れてくる人が増え、とにかく多くの住居が必要だったという説や、にぎわいをもたせるために、通りに面している店の数を増やそうとしたという説もあります。

でも、町家の一番の特徴は、道とつながっているということです。

はじめて町家に足を踏み入れた人からは、「どこからどこまでが玄関かわからない」という声をよく聞きます。高い塀に囲まれた昔の公家屋敷とは違い、商売の場でもある町家は通りに面しており、道と家との隔たりをほとんど取り除いています。道の延長線上に町家があるのです。

すでに説明したように、京都の道は、みんなが共有する生活空間です。その道を行き交う人びとは、ご近所さんであり、仕事仲間でもあり、お客さんでもある。外を歩く顔見知りを見つけて声を掛けたり、だれかがふらりと中に入ってきて一服してから帰っていったり。町家と道とが一体化することで、人との交流はさらに深まります。

道を中心とした同業者コミュニティに最もなじむ建物が、あの独特のスタイルを持つ町家なのです。

町家の構造が物語っていること

道とつながっている町家の入口は、とても敷居が低く、だれもが気軽に立ち寄れそうな雰囲気があります。だからといって、勝手にずんずんと奥まで入っていいというわけではありません。職住一体の建物である町家は、段階的に機能が区別され、奥にいくほどプライベートな空間になっていくからです。

町家の「ウチ」と「ソト」を隔てる格子戸は、家業によって形が異なります。看板などなくても、道行く人は格子を見るだけで、その家がなんの商売をしているのかが一目でわかりました。しかも格子は外からは中が見えにくく、家の中から外はよく見えるようになっているので、防犯機能も備えています。

家のなかにもヒエラルキーがある

そして町家の中に足を踏み入れると、「トオリニワ」と呼ばれる土間が奥までまっすぐに続いています。その横に「オモテノマ」、「ダイドコ」、「オクノマ」という三室が一列に並んでいるのが、基本的な町家の構造です。

一番手前にある部屋が、「オモテノマ」です。店の間ともいいます。道に面した店先のことで、ここで接客をしたり、商談をしたりします。ご近所さんのちょっとした用件も、たいていここで済ませます。上がりかまちに小座布団でも敷いて、お茶でも飲みながら話をします。

もう一歩、奥の部屋が「ダイドコ」です。いまでいうリビングダイニングといったところでしょうか。この部屋のすぐ脇の土間はキッチンスペースになっていて、「おくどさん」と呼ばれる竈や、「はしり」と呼ばれる流しなどが設置されています。このキッチンスペースは、忙しく走り回って働く場所なので「ハシリニワ」と呼ばれています。

ここには家族や使用人、ごく親しい人しか出入りしません。ダイドコまで通されたら、身内と認められたようなものでしょう。

さらに、その奥にあるのが「オクノマ」、つまり奥座敷です。大切なお客様をもてなす部屋になるので、床の間に季節の花を飾ったり、掛け軸を掛けるなどして、しつらいます。オクノマにははきものを脱いであがります。ここに通されるのは、客人として最大限に尊重されている証といえます。

また、オクノマのさらに奥には、一坪程度の小さな「坪庭」があります。光や風を通す役割もあり、観賞用の庭として、灯ろうや常緑樹、庭石などが置かれています。

京都人の距離感が独特なわけ

もともと京都人は、他人との距離を一気に縮めたりはしません。ようすを見ながら段階的に距離を調整していくところがあります。

だから他人を自分の家にあげるにしても、何段階ものステップを踏んでいくことになります。町家の構造は、まさにその心理を具現化したものといえるかもしれません。

町家を訪ねたとき、立ち話で終わるのか、上がりかまちに腰掛けるのか、あるいは履き物を脱いで奥座敷にあがれるのか。どこまで通してもらえるかによって、相手と自分との関係性が推し量(お)れるはずです。

マンションぎらい

どうも京都人は、あまりマンションがお好きでないようです。

話を聞いていると、きらいな理由としてよく出てくるのが、騒音問題です。とくに、天に突き抜けるような明るくて元気な子どもの声が耳障(みみざわ)りのようで、「朝っぱらから子どもの声が、やかましいてたまらんわ」という愚痴をよく聞きます。

じつは私も、子どもが小さいころは賃貸マンションに住んでいて、いろいろと気を遣いました。いまでも玄関や廊下などの共有スペースには「騒いではいけません」という張り紙があちこちに貼られていて、小さい子を持つ家庭は、肩身のせまい思いをしているのではないかと思います。

マンションぎらいの理由として、ほかによく挙がるのは、新しい住民に対する不信感です。町の中にぽっかりと背の高い建物が現れるので、「高いとこから見下ろされてるみたいでいやややわぁ」と言います。そこまで疑心暗鬼にならなくても、と思うのですが、なかには「プライバシーの侵害だ」と訴える人もいます。高いところから、自分たちの生活をのぞかれているのではないか、というのです。

でも、実態はその逆です。以前、大学の友人が手掛けていたマンション住民の意識調査に参加したところ、マンション住民のほうが自分のプライバシーを守ろうという意識が強かった。そもそも昼間は学校や会社に行っていて不在のことが多いし、帰宅したらさっさと厚手のカーテンを閉めて外から中を見られないようにしてしまう。まあ、普通に考えても、面倒なご近所付き合いを避けたいからマンションを選んだ、という人は多そうな気がします。

マンションは道を共有していない?

いろいろ文句は言うものの、それは全部後付けの理由であって、京都人のマンションぎらいの一番の原因は、道との関係が作れない点にあるのではないか。少なくとも、私はそう考えています。

これまで説明してきたように、京都では「両側町」という道を中心としたコミュニティが育まれてきました。道ごとに生業（なりわい）、つまり職業が決まり、道を通じて人と人がつながり、道をはさんでさまざまなリスクに対応してきました。

そうした昔ながらのコミュニティが、道を共有することを前提としているのにたいして、マンションは公共の道を直接、共有していません。道から一歩入ったマンション内では住民どうしで共有しているスペースがありますが、マンションの外からはなにもわかりません。

同じ道で同じような町家に住み、同じ仕事、同じ生活スタイルを何百年も続けてきたのに、突然近くに背の高い建物が現れて、まだみんなが商売を終えていない時間からハンバーグの匂いが漂うようになる。しかも、それがどういう人か、直接顔が見えないので、さらに不信感が募ってしまうのです。

触れ合わなければいけない場面

でも、少なくとも年に一度、マンションぎらいの京都人が、積極的にマンション住民を受け入れるときがあります。夏の風物詩である地蔵盆です。

地蔵盆は、地蔵菩薩の縁日のこと。この日になると、町のお地蔵さんをきれいにして、お化粧をほどこします。京都では古くから地域の祭りとして定着していますが、この祭りには子どもが欠かせません。

もともとお地蔵さんは子どもの守り神なので、地蔵盆では子どもたち向けのイベントが多く行われます。たとえば「数珠回し(じゅず)」。子どもたちが輪になって座り、お坊さんがお経を唱えるのにあわせて、大きな数珠を回していくというものです。このほか、子どもたちにおやつを配ったり、手料理をふるまったりすることも多いですね。

ところが、最近では主役である子どもが、めっきり少なくなっています。若い世代が地元を離れてしまい、町に子どもの姿を見かけることが減りました。遠くに暮らす孫も、せめてお盆のときだけでも帰ってきてくれるといいのですが、大きくなってくると、段々足が遠のくようになります。

そこで注目されるのが、マンションの子どもたちです。マンション住民は比較的若い世代が多く、子どもの数もそれなりに多い。言ってみれば、マンションは地域の子どもの供給源。だから普段は「やかましいてたまらんわ」と文句を言っている地元の人も、地蔵盆のときばかりはマンション住民を歓迎するのです。

こうした地元の祭りをどう守るかは、京都人の悩みの種です。

昔は、地元の子どもたちはみんな地蔵盆に参加し、おいしいものを食べさせてもらったり、遊びを教えてもらったりしました。自分が小さいころ、お世話になったから、大人になっても行事に参加し、地元を離れても寄付金だけは納めるということもあったのです。

いまでは、そのような文化の伝承がむずかしくなっています。数少ない地元の子どもたちも、中学生くらいになると学校の予定や友だちとの約束が優先され、地域の行事に参加しなくなります。そのうちに、ハロウィンでお菓子をもらうことはあっても、地蔵盆でおやつを配るなんて知らなかったという子どもも出てくるかもしれません。

京都四大行事の一つとされる五山(ござんの)送り火も、もともとは地元の家庭がお金を出し合ってやっていたものでしたが、もはや地域の力だけでは維持できなくなり、いまではＮＰＯが運営を担っています。

地元の祭りというものは、地域の人と人をつなぎ、次の世代を育てていくために欠かせないイベントです。でも、いまやよそさんの力を借りなくては、地元の祭りを守れなくなっています。

年に一度の地蔵盆で、地域の人とマンションの子どもたちとがつながる姿を見ていると、これから京都はどうやって伝統を受け継いでいくのだろうと、いろいろと考えてしまいます。

元学区の誇り

二〇一八年にノーベル医学・生理学賞を受賞された本庶佑先生は、京都に生まれ、京都大学に学び、現在も京都にお住まいです。地元の名士ともいえる方が、ノーベル賞という世界最高峰の評価を受け、京都の人びとも誇らしい気持ちでいっぱいです。

地元からも、ぜひ先生にお祝いの気持ちを伝えたい！　そういうわけで、後日、本庶先生の自宅がある中京区の龍池(たついけ)自治連合会から、「名誉学区民」の称号が贈られました。

「名誉学区民？　学区ってなんやねん！」

京都人であれば、決してそんな突っ込みはしないでしょう。京都人にとって、学区はとても身近なものなのです。

一般的に「学区」といえば、単に公立学校の通学区域のことで、それ以上の意味はないかと思います。京都では「元学区」という言い方をしますが、昔の学校の区分がコミュニティの単位となっています。

話は、室町時代の両側町の成立にまでさかのぼります。道をはさんだ両側がひとつの「町」としてまとまり、これが自治組織となりました。その町がいくつか集まって連携したものを、「町組（ちょうぐみ）」と言います。

明治に入ると、京都府は昔ながらの町組を解体して、「番組」という新しい行政組織に再編成しました。そして、番組ごとに小学校を建設したのです。

小学校が単位になったわけ

それにしても、なぜ小学校だったのでしょうか。幕末の動乱後、京都再興のための政策のひとつが教育だったのです。そもそも京都は、古くから私塾や寺子屋の伝統が続く、教育熱心な土地だったということもあるでしょう。当時の有力者たちも小学校の建設を強力に後押ししました。

このときに創設された六四校が、日本で最初の「番組小学校」です。そして、そのころの学区が「元学区」としていまに受け継がれているのです。

小学校は、子どもたちが勉強する場所というだけではなく、地域の拠点でした。小学校のなかには、町会所や役所の出先機関もあり、警察や交番も置かれていました。望火楼という火の見やぐらまで設置されていて、地域の防災拠点でもありました。しかもその経費の一切は、地域で負担していたのです。もはや学校というよりも、コミュニティセンターみたいなものですね。

戦後、小学校の新設や統廃合が進み、現在の通学区域と元学区は必ずしも一致しなくなりましたが、元学区はいまでも地域活動の単位となっています。運動会やお祭りを開催したり、避難訓練のような防犯・防災の取り組みも行っています。時代祭の運営も、元学区が交代で担当しているんですよ。

そんな歴史があるので、京都では、元学区に対する思い入れがすごく強いんです。どこの学区に住むかというのは、すなわちどのコミュニティに入るかということ。一市立学校に過ぎない御所南小学校が注目を集めるのも、ステイタスの高い学区にあるからにほかなりません。

小学校を再利用する文化施設

地域のシンボルである番組小学校も、時代の波には逆らえず、統廃合が進んでいます。六四あった番組小学校のうち、残っているのは、わずか四校のみとなってしまいました。いまは、その跡地の活用が問題になっています。なんと言っても京都人の心のふるさとですから、なんでもいいというわけにはいきません。

たとえば、旧開智小学校は「京都市学校歴史博物館」に、旧明倫小学校は「京都芸術センター」に生まれ変わりました。旧龍池小学校の跡地には、私たち京都精華大学と京都市との共同事業として、「京都国際マンガミュージアム」が建てられました。

じつは本庶佑先生への名誉学区民の顕彰式は、京都国際マンガミュージアムで行いました。本庶先生が龍池学区にお住まいだったからです。私も京都精華大学の学長として顕彰式に参加したのですが、地域の住民のみなさんや子どもたちもたくさん集まりました。「自分たちの学区に、こんなに立派な先生がいらっしゃる！」というのは、学区民たちの誇りなのです。

子どもの数が減り、番組小学校がどんどんなくなるなかで、学区民たちを喜ばせたニュースがあります。二〇一八年、二六年ぶりに新しい小学校が誕生しました。その名も「御所東小学校」です。

ご存じの通り、京都の中心部にある御所南小学校の学区はすっかりブランド化しています。児童の数が急増し、教室の数も足りなくなったため、新たに小学校を整備することになりました。その新たな学校が、一九九五年に閉校した旧春日小学校の跡地に建てられたのです。春日学区民にとっては、自分たちの番組小学校が復活するような気分になったことでしょう。

じつはこの新しい小学校、当初は御所南小学校の分校とする案もあったそうです。ところが、「我が学区の小学校が、よその分校なんてとんでもない」と地元が猛反発したらしく、独立した小学校として開校することになりました。公募により、校名は「御所東」に決まりましたが、地元のみなさんとしては「春日」の名前を復活させたかったようで、ちょっと残念がっていました。

それでも、地元の小学校は我らが誇り。京都人のなかには、学区民としてのアイデンティティがしっかりと確立されているのです。

第五章 京都イノベーション

豆腐屋のキムチ

テレビに出演すると、お決まりのように聞かれる質問が「日本食で好きな食べ物は？」です。私も判で押したようにいつも答えるのが「お豆腐」「お好み焼き」「パン」です。これは京都在住のアピールではなく、本当に一番の好物ですから、いつも自分で買って帰り、そのままおしょうゆをかけて食べています。京都に住んでラッキーだと思うのは、お豆腐とパンが美味しいことです。

老舗の湯豆腐屋さんで、当時のご主人からおもしろい話を聞きました。メニューにキムチを加えたというのです。湯豆腐屋さんにキムチというのは私も初耳で、老舗としては画期的なことでしょう。

そのお店はガイドブックにも紹介されて、韓国からの団体客が数年前からよく訪れるようになりました。はじめに驚いたのは、団体客が帰ったあと、湯豆腐の鍋も器も真っ赤になっていたこと。敷物やテーブルにもキムチの汁がこぼれている。もう、えらいことです。こちらは提供していないから、お客さんがタッパーやビニール袋に入れて持ち歩いているマイキムチだとわかりました。

ご主人は、どうしようかと思案しました。日本人のお客さんなら「せっかくの湯豆腐ですから、そういうことはご遠慮ください」とたしなめる方法もあります。しかし相手は外国人です。いちいち説明するのもめんどうだし、「キムチ厳禁」と壁に貼っても効き目はなさそうです。そこからトラブルになれば、さらにやっかいです。

ご主人はいっそのこと、メニューにキムチを加えたらどうかと考えました。キムチ用の鍋や器や敷物も用意する。もう湯豆腐屋さんではなく、キムチチゲのお店です。

日本人もその昔は団体で海外旅行に出かけて、高級レストランでおしょうゆやわさびを足して食べていたかもしれません。

ご主人の判断は、柔軟性がある点、多様性を認めている点が素晴らしいと感じました。韓国のお客さんにとって湯豆腐の味が物足りないなら、「これがうちの味です」と強要するのではなく、自分のほうから相手のニーズに合わせていく。そこでは、老舗のこだわりを見せない。

じつはこれも京都らしさのひとつです。自分たちは本当は違うと知っている。ニセモノではあっても、相手が期待する京都を演出する。八つ橋のパッケージにある五重塔や舞妓はんと同じです。

老舗が伝統の暖簾を守りながら、一方で新規ビジネスをはじめるときも同じです。

たとえば、生麩の老舗「麩嘉」を見れば、それがはっきりわかります。麩嘉は二〇〇年近く続く生麩づくりのお店で、現在の当主は七代目になります。高級料亭や地元の方たちに、料理に使う生麩を提供してきました。私が呼んでもらう「水の会」のメンバーであり、「京名物 百味會」にも加盟しています。

詳しく知らない人は、有名な「麩まんじゅう」の専門店だと勘違いしているかもしれません。府庁前の本店では、お菓子は麩まんじゅうの一種類しかなく、しかも完全予約制です。店内の席を予約するのでなく、持ち帰りでも完全予約制なのです。

ところが、観光客でにぎわう錦市場の店舗では、チョコレート麩、トマト麩、ベーコン麩、パンプキン麩、ペッパー麩と味が想像できないような商品が並んでいます。同じ麩嘉とは思えないほど、カジュアルなコンセプトなのです。

そうかと思えば、ニューヨークに「嘉日（Kajitsu）」という和食のレストランを開いています。私もニューヨークへ行った際に、ちょっと顔を出すぐらいのつもりで予約して出かけたら、雰囲気のいい高級レストランなのでびっくりしました。

麩嘉の新規ビジネスはいくら成功しても、周りの人たちから批判を受けることはありません。それは本業の生麩づくりはしっかり暖簾を守ったうえで、錦市場店はおかみがはじめたビジネス、ニューヨークのレストランは息子の趣味ではじめたビジネスと区別しているからです。

もし京都での役割を見失ったり、洛中で高級レストランを開業したりすれば、麩嘉ほどの老舗でも批判の的になるかもしれません。わずかな差のようで、京都の人にとっては大きな違いなのです。

イノベーションは婿養子から

和傘ってきれいですよね。私はさすがに使ってはいませんが、見ているだけでもよいものです。お茶を屋外で楽しむ野点（のだて）という茶会がありますが、大きな和傘が欠かせない道具で、野点傘と言います。

和傘や野点傘を江戸時代後期からずっと作り続けているのが「日吉屋」です。

六〇〜七〇年前には京都に二〇〇軒以上の和傘屋がありましたが、いまは、日吉屋一軒だけになりました。なぜ、日吉屋だけ生き残ったのか？　その立役者が当主の西堀耕太郎さんで、私も親しくしています。私が精華大で担当していた京都学の講座にもゲストとして来てくれましたし、先日は一緒に講演会に出ました。

じつは西堀さんは京都の人ではなく、和歌山県新宮（しんぐう）市生まれで、新宮市役所に勤めていたときに日吉屋の娘さんと出会って結婚した婿養子です。

京都で、イノベーションを成功させた老舗に共通するのが婿養子。京都人というのはあまり競争意識がないものだから、なんとなくみんな一緒に衰退してしまう。そのなかで、「あの家だけはうまいことやってるな」というと、だいたい「やっぱり婿養子や」となります。

婿養子は京都の原理に染まっていないから、「うちの商売を守らなければ」と使命感を持ってがんばるので成長するのです。第三章でお話しした家具の町「夷川通」にも、このところインテリア小物を売る店が増えてきて、けっこう成功しています。夷川通を調査したとき、知り合いの京都人は「うちらの家の跡を継いだ奴らは、そんなのはやらない」と即座に断言していました。

西堀さんは当初和傘屋を継ぐつもりなどなかったそうです。それもそうでしょう。結婚して、京都の実家に遊びに行くと、義母と義祖父母が細々と和傘を作り、年間一六七万円ほどの売上で、ギリギリの生活をしていて、もう廃業するつもりだったと言います。

傘は部品ごとに職人がいますが、その職人もいまでは一〇〇人ほどしか残っておらず、最も肝心の「ろくろ」という中心を支える部材を作る職人はほとんどいません。ろくろ職人は「作りたくても仕事がない」と嘆いています。ろくろは、削りがむずかしくだれでもすぐできるものではありません。職人たちがいなくなってしまえば、もはや和傘が作れなくなります。

西堀さんは奥さんの実家で和傘の製作風景を見て感動し、「格好いい、自分もやりたい」と思ったと言います。

その後、新宮市から週末、日吉屋に二年間通い続け、和傘作りを学ぶとともに、一九九七年頃にいち早くホームページを作り、和傘のネット通販を始めました。これが当たり、売上が倍々で増え続け、数年でついに一〇〇〇万円を超えました。当初から六倍にもなったわけです。

習い始めた当初は、継ぐことも婿養子に入ることも考えていませんでしたが、そのうち、西堀さんがやらなければ廃業すると言われ、婿に入って二〇〇四年に日吉屋五代目を継いだのです。

西堀さんは和傘の勉強をするうちに、時代とともに和傘も変化、発展してきたことを知り、「伝統は革新の連続」と考えるようになったそうです。

そこで、和傘の技術を使ったランプシェードの開発に着手、〇六年に円筒形で、折り畳みのできる「古都里（ことり）」を完成。竹と和紙で作られた美しいデザインは海外でも受け入れられ、いまや世界一五カ国に販売するまでになっています。

当初、西堀さんは傘型のランプシェードを考えていましたが、照明デザイナーのアドバイスで円筒形にしました。しかし、傘のように折り畳みできることにこだわりました。折り畳み型のシェードはめずらしいです。

こうして、海外販売や展示会への出展などが多くなると、海外のバイヤーから日本の伝統的素材や製品を求められるようになりました。そこで、西堀さんは海外展開を目指す伝統産業の事業者を支援するために、一二年にＴＣＩ研究所を設立しました。社名は「伝統は革新の連続　Tradition is Continuing Innovation」から来ています。

彼は、他の職人たちも自分と同じようなイノベーションができるはずだと思っています。でも、みんな親や周囲に遠慮して、新しいことを始められない。研究所がよい口実になるわけです。

ＴＣＩ研究所では、すでにさまざまなプロジェクトが進んでおり、のべ四〇〇社もの伝統工芸や中小企業が海外に出ています。なかでも経営危機にあった京友禅の型紙を作る西村友禅彫刻の西村武志さんは、伝統的な図柄ではなく、独自に作った猫や仏像などの型紙が評価を得て、スマホケースやアクセサリー向けの仕事を請け負うようになりました。

西堀さんは婿養子ならではのイノベーションを京都に起こしつつあります。

西陣から海外へ飛躍

織物の町「西陣」は平安の時代から官営の織物工房として栄えました。場所は京都市街の北西部にあります。

西陣織は織物の代名詞と言ってよいくらい有名ですが、これまで何度となく衰退と隆盛を繰り返してきた「しぶとい」業界です。

平安時代に繁栄するもその後、衰退。鎌倉時代から室町にかけて、再び織物の町として公家や武家用の高級着物を多く作りました。応仁の乱（ちなみに京都では「先の戦争」というと応仁の乱を指すことがあります）では、戦禍に見舞われ、多くの職工が堺などに避難、壊滅状態となったのです。

戦後、彼らは京都に戻り、西軍・山名宗全の本陣跡、つまり西陣で織物業を再開しました。これが地名の由来です。

西陣の職人たちは製造を再開すると、大陸伝来の高機という技術を取り入れ、豪華華麗な高級絹織物を生み出し、天皇家や大名家から保護されるほど隆盛を誇ります。

江戸時代になり、町人が台頭してくると西陣は最盛期を迎え、高級織物だけでなく、ちりめん、縞（しま）なども織り、他の産地を圧倒しました。しかし、江戸時代半ばを過ぎると飢饉（きん）などで世の中が不安定になり、幕府の奢侈（しゃし）禁止令も出て、再び衰退します。享保一五（一七三〇）年には「西陣焼け」という大火で町が焼失し、さらに衰退していきました。

復活は明治になってからのこと。海外の先進技術を積極的に取り入れてきた西陣では文明開化で、人材をフランスなどに派遣、ジャカード織物など先進技術を取り入れて近代化に成功します。高級絹織物の価格を下げて、大衆化を進め、デザインも洗練されて再び隆盛を築きました。昭和になり、戦後はネクタイやショール、和装小物などにも進出しますが、さすがに和装文化そのものが衰退して、再び低迷しています。

しかし、ここでくじける西陣ではありません。いま、若い世代が国際化を進め始めています。その代表は老舗「細尾」の若旦那である細尾真孝（まさたか）さん。細尾さんはアーティストや高級ブランドなどとコラボレーションし、新しい織物の可能性を発信している京都のホープです。

彼はご多分にもれず京都老舗の後継ぎたち同様、高校生時代から音楽にのめり込みます。最初はセックス・ピストルズに衝撃を受けてロックバンドを結成。大学でもクラブミュージックやライブ活動に耽溺。その後、ジュエリーメーカー勤務を経て、二〇〇八年に家業に入りました。父親が海外向けの事業を始めたのを知って、西陣織を海外に向けて発信したいと思ったからです。

番頭たちは海外進出に反対でしたが、細尾さんはトランクに織物を詰めて海外展示会に出掛け、営業を繰り返しました。なかなか成果は出ませんでしたが、二〇〇九年にニューヨークで開かれた日本のデザイン展に展示していた細尾さんの織物を見た世界的な建築家であるピーター・マリノから「西陣織でテキスタイルを作ってほしい」とオーダーが入ったのです。

「和柄で勝負する」と思っていた細尾さんには意外な注文でした。こうして、西陣織を「素材」としてフォーカスすることに気づいたのです。いまでは、クリスチャン・ディオールなど、世界で一〇〇を越える高級店舗の空間で壁紙として使われています。

一六年からは米のマサチューセッツ工科大学のディレクターズフェロー（特別研究員）に就任、西陣織と最新テクノロジーの融合を考えているそうです。宇宙服を西陣織で作ることが夢だとか。

二〇一二年には電通に勤める各務亮（かがみりょう）さんを中心に、細尾など伝統工芸六社（他は竹工芸の「公長齋小菅（こうちょうさいこすが）」、桶指物（おけさしもの）の「中川木工芸」、茶筒の「開化堂」、京金網の「金網つじ」、茶陶の「朝日焼」）と、日本の伝統工芸の新たな価値を発信するプロジェクト「GO ON（ゴオン）」をスタートしました。伝統工芸の技術を使って海外デザイナーと連携しながら新商品を作るために立ち上げた新ブランド「Japan Handmade」がミラノやパリで好評を博しています。

ここから、木桶を作る技を使ったスツール、金網の技術を取り入れたワインストッパー、西陣織から作ったファブリックなどが生まれました。木桶のスツールはイギリスのビクトリア・アンド・アルバート博物館でパーマネントコレクションとして収蔵されています。

また、「Beyond KYOTO」というサービスでは、メンバーの六人が京都の観光コンシェルジュとなって、伝統工芸を観光客に案内しています。老舗の若旦那たちもイノベーションを起こし、立ち上がろうとしています。

京都精華大学も、京都の伝統産業の、国内外からのイノベーションを促進するために、伝統産業イノベーションセンターを二〇一七年に設立しました。

〈失われた京都〉とならないために

八つ橋の包装紙に五重塔や舞妓はんを描いたのは、おそらく京都の人たちではないでしょう。京都の人たちは、京都の伝統文化に触れることを怖がっていると私には見えるからです。これもイノベーションを避ける理由のひとつです。

その代わり、京都には外部のイノベーターがひっきりなしにやってきます。京セラを創業した稲盛和夫さんみたいな起業家は、たいてい京都の外からやってきます。清水焼の技術はもとからあって、そこにイノベーションを加えたのです。

京都の人たちは、外から来たイノベーターを頑(かたく)なに拒否するわけではありません。よく話を聞いて納得できたときは、「しょうがない」といった態度で受け入れます。それが過去の歴史でも、京都人流の受け入れ方だったのではないかと私は想像しています。

平安京ができて以来、武士は京都へ上って天下を取り、技術者や芸術家も一流になれば京都をめざしてきたのです。京都はいつの時代も、外からの流入者によってイノベーションが起きたともいえるでしょう。

「あれは婿養子や」と言われる婿養子も、じつは京都の人に受け入れられるケースがほとんどです。陰口はたたいても、しかたがないとあきらめている。京都で生まれ育った人が、空気が読めなくて勝手なことをするのとは明らかに扱いが違います。

たとえば、京都の文化を海外へ向けて発信するのに、フランスからプロデューサーが来たなら、京都の人は半信半疑で協力します。相手のことが理解できれば、そのうち「なかなかよい」と認めるようになるのです。外国人に甘いというのもあるでしょう。

反対に、京都で生まれ育った人が、京都文化を海外へ発信しようと企画して失敗した事例はたくさんあります。「自分は京都のことがよくわかっている」というつもりで、じつは空気が読めていない人が最も痛い。京都で生まれ育っても、京都の人とは限らないのです。

京都精華大学の伝統産業イノベーションセンターみたいな活動も、京都の人たちには抵抗感があったでしょう。

しかし京都の町は、いつも外の手を借りて変化してきたのだと私は考えています。ディープな京都、裏の京都を知る人をもっと増やしていけば、もっとイノベーションが起こる。〝開かれた京都〟といえば、まるで逆説的に聞こえるでしょう。しかし、そこにこそ京都の可能性があると私は考えているのです。

プリンス、プリンセスたちが危惧(きぐ)するように、このまま時代に流されていくと、京都の人たちが守ってきた伝統は失われてしまうでしょう。外からの力で、本当に大切にしたい京都も守れなくなる。失われつつある京都を残していくには、流されることなく、自分たちから未来の京都を発信していくしかない。私たちが伝統産業イノベーションセンターで取り組んでいることもその一環なのです。

京都北ロータリークラブに入会する

私は二〇一九年、「京都北ロータリークラブ」のメンバーになりました。初めはそれほど重要なことに思っていなかったのですが、私にとって大きな節目になる出来事かもしれないとあとで気がつきました。

京都北ロータリークラブは、私が京大時代に奨学金のことでお世話になったのが最初の出合いでした。かれこれ三〇年来のお付き合いになります。しかし、西陣織の老舗や大企業の経営者、お医者さんなどがメンバーのクラブに、まさか自分が名を連ねるとは考えてもみませんでした。

「ロータリークラブって、たまに名前を聞くけど、何をやっているところかよく知らん」という方も多いでしょう。簡単にご説明します。

各地にあるロータリークラブは、国際的な社会奉仕団体「国際ロータリー」の支部みたいなものです。世界には三万六〇〇〇近くのクラブがあり、「ロータリアン」と呼ばれるメンバーは一二〇万人いるそうです。

この組織はもともと、二〇世紀初めにアメリカのシカゴで結成された相互扶助の親睦(しんぼく)クラブでした。例会の場所をローテーション(輪番)で提供しあったことから「ロータリークラブ」なのです。

日本ではちょうど一〇〇年前の一九二〇年に東京で最初のクラブが結成されました。現在は全国で二二五〇ほどのクラブが活動し、ネット時代ですからSNSに「日本ロータリーEクラブ」という組織もあります。京都府には現在四二のクラブがあり、私がメンバーとなった京都北ロータリークラブは一九五七年に設立された伝統あるクラブです。

「サコくんもうちのクラブに入ったらどうやろ」

入会を勧めてくれたのは、私が「日本のお父さん」と呼んでいる小野内悦二郎さん。西陣の老舗企業「きんらんや小野内」の会長さんです。金襴（きんらん）というのは、西陣織に欠かせない技術の一つで、金箔を巻きつけた糸や細く切った金箔で模様を描くことです。小野内さんの会社は仏教関連が中心で、各宗派のお坊さんが着る袈裟（けさ）や念珠（ねんじゅ）袋などを取り扱っています。

小野内さんと私は、もう三〇年近いお付き合いです。私は京大時代に、このロータリークラブが窓口だった奨学金をもらい、その世話役（ホストファミリー）が小野内さんでした。そのまま私の面倒を見るホストファーザーになってくれたので「日本のお父さん」です。私が結婚するときに、結婚に反対だった妻の両親を説得しに出かけてくれたのも小野内さんでした。私の後見人であり仲人さん。その関係は小野内さんが八〇歳を超え、私が五〇歳を超えた現在もつづいています。

だからといって、ずっと近くにいてご指導、ご鞭撻を受けてきたわけではありません。たいていは保証人や後見人が必要なときにお世話になったり、西陣でフィールドワークするときにご協力いただいたりといったことです。小野内さんから「京都ではこうしなはれ」みたいな教育的指導を受けた記憶はありません。むしろ京都リテラシーみたいなものは、私が築いた人脈から学んでいきました。

「麩嘉」さんたちの「水の会」など、私的なネットワークには若い頃からいくつか参加してきました。初めはゲストや講師として呼ばれ、たびたび顔を出すようになった集まりもあります。二〇代三〇代の頃は「おお、ディープな京都を垣間見た」と興奮を覚えたものです。

参加の頻度が増えると、自分もその集まりにすっかり溶け込み、メンバーの一員になったように感じていました。紹介者だけでなく、他のメンバーとも分け隔(へだ)てなく接することができ、私としてはかなり自由に振る舞えていたからです。しかしその頃はまだ「お客さん」だったと、あとになって気づきました。

ある時期から、メンバーの態度が明らかに変わったからです。それまで私の呼び方も「サコくん」「サコ先生」だったのが、「サコちゃん」「サコ」になるぐらいの変化です。会話もタメ口というか、言葉づかいがやや乱暴になって、以前より距離感がぐっと縮まりました。

このとき初めて、私はその集まりのメンバーとして一段先に進んだようでした。「あなたは準会員から正会員に昇格しました」といった説明があったわけではありません。しかし、なんとなくステージが上がったことはわかります。

まず、その集まりのオーナーから、私に接する態度が変わったのかもしれません。ネット検索では出てこないヒミツのお店に案内される。それまで聞けなかった話が私の前で話される。私がいつもどおりに振る舞ったら、「京都ではそれはあかんよ」と初めて注意を受ける。明らかに「お客さま」とは違う扱いです。

「ひょっとして、京都人の仲間として認めてもらえたんかな」と嫌な気分ではありません。京都はたくさんの外国人に愛されているけど、ここまで溶け込んだ外国人はそう多くないかも……と考えたものです。

しかしそれも、まだ入口の入口だったとあとでわかりました。京都北ロータリークラブに誘われる少し前のことです。

教育的指導がほとんどなかったホストファーザーの小野内さんが、急に「京都」を教えてくれるようになりました。それは私が京都に二八年暮らしても、一度も聞いたことがない心得やお作法でした。

一例を挙げるなら、よそのお宅を訪問するときは、白い靴下を履いていくこと。これにはちょっと面喰らいました。カジュアルな服装なら全然いいですけど、私は学長になってダークスーツを着る機会が格段に増えました。黒や紺のスーツに白いソックスを履いたら、まるで中学生です。

日本では社会人になる頃に「スーツに白い靴下はＮＧ」と教わります。私も大学院の頃に教わりました。最近はビジネスカジュアルの装いであえて履く若者もいますけど、正式な場ではやはり見かけません。

ところが、つい最近分かったことですが、京都では人の家を訪ねる時、なるべく白い靴下を履いた方が望ましいのです。別の色の靴下を履いている場合は、カバンに白い靴下を入れておかなければなりません。お茶の影響なのだそうです。

京都のことわざに「白足袋もんに逆らうな」というのがあります。白足袋もんとは、僧侶、茶人、老舗の商人、花街関係者など、いつも白足袋を履いている人たちです。古くから京都を取り仕切ってきたのは彼らだという話を聞いたことはないでしょうか。カバンに白いソックスを忍ばせているのは、そういうネットワークにかかわる人たちかもしれません。そんな心得やお作法は山ほどあります。私には驚きの連続で、まだ全然「よそさん」

の扱いだったことに気づかされました。

京都ローカライズ

京都北ロータリークラブは、西陣の企業経営者が中心で、次にお医者さんや私と同じ大学関係者が多く、ほかにもお寺さん関係、茶道関係、大企業の経営者など多様な職業の方が参加しています。

ロータリークラブは、政治団体ではありませんから、中立な立場で社会奉仕活動を進めています。全世界共通の「ロータリーの目的」があり、その下で活動しています。

第１　知り合いを広めることによって奉仕の機会とすること
第２　職業上の高い倫理基準を保ち、役立つ仕事はすべて価値あるものと認識し、社会に奉仕する機会としてロータリアン各自の職業を高潔なものにすること
第３　ロータリアン一人一人が、個人として、また事業および社会生活において、日々、奉仕の理想を実践すること
第４　奉仕の理念で結ばれた職業人が、世界的ネットワークを通じて、国際理解、親善、平和を推進すること

各クラブは原則的に、週に一度の会合を開くことになっています。地元の名士と呼ばれる社会的な地位にいる人たちが、忙しいなか毎週集まるのは大変です。それだけロータリークラブの活動は、重要な位置づけなのです。

私は三〇年近くこのクラブにかかわっていながら、メンバーになるまでその実態はよくわかっていませんでした。初めのうちは「あ、こういう集まりなのか」と意外に思うことがいくつかありました。世界的なロータリーの精神に基づいている一方で、どこか京都的なものを感じたからです。

たとえば、西陣織の老舗、お医者さんなどの同業者がメンバーに多いこと。もともとロータリークラブは一業種ひとりでしたが、このルールは改められて現在は同業者が何人いてもかまいません。他のクラブでも同業者は複数参加しています。ただ、西陣織の業界が中心である点は、道を共有する同業者のネットワークに似た京都的な「きずな」があるようにも見えます。親からメンバーを引き継いだ世襲も見られます。

同じ業界にいれば、どこかで相互依存の関係が生まれてきそうです。ロータリークラブが、京都的なコミュニティの基盤になっているのです。

一般にロータリークラブは、モダンでオープンな集まりというイメージが私にはありました。故郷のマリ共和国にもロータリークラブはもちろんあって、メンバーには女性も外国人も若者もいます。しかし、京都北クラブに入会してみたら、女性はひとりもいませんし、外国人もほとんどいません。年齢も、私のような五〇代は若手です。京都の出身者でないメンバーは少数派です。

メンバーが同質的なのは、日本の団体では珍しくありません。学会や経営者団体のように、お互いの利害が近い「社縁」であることがほとんどです。道を共有する「地縁」の雰囲気は、京都ならではと思います。

同業者が多いといっても、ビジネスの話題や業界の噂話が出ることはありません。話題の中心は、いつも「京都」です。

外部のゲストに講演してもらう場合も、京都の価値にかかわることが大半です。二年ほど前に、私が講師に招かれたときもそうでした。京都の価値を再確認する活動があるのは興味深いことです。

京都北クラブの活動に参加すると、京都が抱える問題の数々が垣間見えます。外から見た京都は、町並み、建物、道具類、料理、京ことば……とさまざまな魅力にあふれています。しかし京都の人たちは、その魅力をキープするために一生懸命です。伝統を守りつつ、時代の変化に合わせる。古いものを残しつつ、新しいものを取り入れる。考え出すとややこしい選択をいくつも迫られている。京都北クラブの飲み会に参加すると、話題の大半は、この選択に関することです。メンバーには「京都」を維持する義務感みたいなものが強い。京都出身でない人たちも、その意識は共有しています。

ロータリークラブでは、出張などで週一回の会合に参加できないときは、滞在先でロータリークラブの会合に出席すればいいことになっています。ビジネスで世界中を飛びまわっている人は、各地のクラブに顔を出すことができます。基本的には「仕事で忙しいから会合を休む」は許されません。

私もマリに帰ったとき、地元のロータリークラブに顔を出しました。そのクラブは三〇代から四〇代が多く、女性も外国人もいるオープンな雰囲気でした。貧困、差別、災害などの社会問題にクラブとしてどう奉仕できるかという共通の姿勢で議論していました。会議の内容や進め方がまるで違いますから、「これが同じロータリークラブ?」と驚いたほどです。

そのとき気づいたのは、「京都北クラブの活動は、ロータリーの精神を京都的に取り入れた形かもしれない」ということです。

京都にかぎらず、外国の文化が入ってくると、日本的に取り入れてオリジナルとはちょっと違うものになるのはよくあることです。大昔に中国や朝鮮半島から入ってきた文化も、明治以降に欧米から入ってきた文化も、日本的にアレンジされました。同様に、ロータリークラブの活動が入ってくれば、ローカライズされて京都っぽい活動になるのです。

クラブのメンバーは、京都について深く考えることが求められます。私自身も、これまで以上に京都のことを考えるようになりました。京都と私の関係は、新しいステージに入ったように感じています。

京都のコミュニティでは、何かしら役割を与えられないとメンバーとして認められません。どれだけ長く京都に住んでも、それだけでは「よそさん」です。私は京都精華大学の学長であっても、それは職業であってコミュニティの役割とは違います。京都北ロータリークラブへの入会を勧められ、小野内さんたちに推薦されたということは、京都の人間として役割が与えられたと考えていいでしょう。

実際にいくつもの役割を担うことは、入会してからわかりました。その意味で、私にとっては大きな節目かもしれないのです。

烏帽子(えぼうし)をかぶったマリ人

北野天満宮では毎年、「曲水の宴(きょくすいのえん)」が催されます。庭園の小川に盃(さかずき)を流し、詩歌を詠む行事です。テレビのニュースで紹介されることもあるのでご存知の方もいるでしょう。女性は十二単、男性は烏帽子をかぶった平安装束。女官役の人たちもいて、雅楽が奏でられます。

私もテレビで観て「ミヤビな行事やなぁ」と思ったぐらいで、詳しく知りませんでしたが、二〇二〇年三月に私が参加することになりました。それは、京都北ロータリークラブがきっかけでした。メンバーの北野天満宮の宮司さんから紹介された、この企画を担当している弘道館の濱崎加奈子さんが、誘ってくれたのです。

北野天満宮は、ご存知のように菅原道真を祀っている神社です。菅原道真は学問の神様であり、詩歌にも優れていました。宇多天皇が主催した曲水の宴に菅原道真も招かれていたそうで、正式には「菅公顕彰 和漢朗詠 曲水の宴」という名称です。

新型コロナウイルスの影響で曲水の宴は中止となり、代わりに、同様の形式、装束で漢詩と和歌を詠む、詩歌奉納式が開かれることになりました。由緒ある伝統行事に則ったものですし、平安貴族の格好をするのも楽しそうです。様子がわからなくても「隅っこのほうにいれば大丈夫やろ」ぐらいの気持ちでした。

ところが、詳しい話を聞くと、私が演じる「一番詩人」はメインの役割。これまで京都市長はじめ名の知られた方たちが務めてきたといいます。これにはちょっとたじろぎまし

詩歌奉納式で漢詩をつづる著者（右端、2020年3月7日）

た。しかも「和漢朗詠」というのは、和歌と漢詩のことで、私が担当するのは漢詩だというのです。もちろん、漢詩をつくったことなどありません。これはハードルが高いお役目です。当日は、一般のお客さんが観覧される予定だったので、衆人環視のなかで恥をかくことになりそうだと不安になりました。正直にそう言うと、漢詩の先生をつけるという丁重な扱い。かえって緊張します。

新型コロナウイルスの影響で一般の観覧は控えるけれど、この行事はただのイベントではなく、神事です。観覧のお客さんがいないなか、私は漢詩を詠んで務めを果たしました。

鏡に映った自分の姿を見て「この格好も意外にイケてる」と思いました。アフリカからきた大学の学長が烏帽子をかぶっている。日本人でも平安装束を身にまとう機会はめったにありません。似合っているかどうかは別にして、この文化的なミックスはいかにも京都的だと思いました。

京都には、一〇〇〇年以上にわたって守られてきた伝統文化がある。でも、現代のグローバリズムやダイバーシティはその京都にも押し寄せている。私の平安装束には「ちゃんと異文化も受け入れてまっせ」というメッセージがこめられている。これが私の役割なのだろうと感じました。

京都文化はブリコラージュ

京都の人はガチガチに伝統を守る一方で、サブカルチャーが好きだなと思うことがよくあります。マンガやアニメもそうですし、クラブカルチャー、カフェカルチャーなども東京、大阪から入ってきて京都で定着しています。私たちの京都精華大学にマンガ学部があり、京都国際マンガミュージアムを京都市と共同運営しているのも偶然ではありません。

さらにいえば、アンダーグラウンドな文化も好きです。暗黒舞踏が観られる劇場があり、男性が派手に女装するドラァグクイーンなどもいます。一九六〇年代のべ平連（ベトナムに平和を！市民連合）みたいな政治的な市民活動も盛んです。

京都の古い伝統にそぐわないものを排除しそうに見えて、実は入りやすい。ちゃんと居場所をつくって定着させる。そう考えれば、サブカルチャーの作者やアンダーグラウンドのアーティストも、京都における役割のひとつかもしれません。

彼らは外から入ってくるだけでなく、京都のなかでも育ちます。なぜか、老舗や名家の子どもたちがサブカルチャーに強く関心をもつことは珍しくありません。京都のぼんぼんは小学校から同志社に入ることが多いのですが、同志社高校を卒業したら京都精華大学にマンガやアニメなどのサブカルチャーを学びにくる人もいます。たいてい老舗や名家の息子さん、娘さんたちです。学部へのこだわりはなく、自由でとんがったカルチャーに憧れてくるのでしょう。いずれ老舗を継ぐのだから、若いうちは思いきり好きなことに没頭したいという気持ちもわからないではありません。

有職菓子御調進所「老松」の主人、太田達さんによると、京都の文化は、ブリコラージュ（Bricolage）という見方があるそうです。ブリコラージュとは、フランス語で「いろいろなものを寄せ集めて繕う」という意味です。初めからきっちり完成形を設計するのではなく、その場にあるもの、手に入るもので新しい何かをつくっていく。文化人類学者のりました。
クロード・レヴィ＝ストロースが、世界各地で見られると報告してよく知られるようにな

京都の人たちは、よそさんが持ち込むものを毛嫌いするのではなく、とりあえず受け入れるところがあります。外から新しいものを吸収しながら、伝統に変化を加えていく。そこでイノベーションが起これば、形を変えて文化が残っていくこともあるでしょう。

私は北野天満宮で、鏡に映る自分の姿を見て、このブリコラージュを思い出しました。一〇〇〇年前の平安装束を身にまとっているのはアフリカからきた大学の学長。そういう遊びの要素から、何か生まれるかもしれないという試みが自然とできるのです。

京都にはカフェがたくさんあって、音楽とか鉄道とか動物とか同好の士が集まる場所になっています。学生が多い街ですから、もとは外から入ってきた人たちの居場所だったのでしょう。昔ながらの喫茶店は、常連客がいて、お互いに顔なじみになってコミュニティができます。その喫茶店の外でも一緒に飲みに出かけたり旅行したりといった友だちづきあいも生まれます。

しかしカフェは、そこまで親しくならないけれど、なんとなく顔なじみという関係になります。これがたとえば東京や大阪のスタバなら、お互いに隣にだれがいるかも気にしません。そうではなく、微妙なバランスで成り立っている空間が京都のカフェです。

初めは学生など外から入ってきた人たちの居場所でしたが、そのうち京都の人たちも居心地がいいと利用するようになりました。こうして外部の空気を取り込んでしまうのが京都です。私がＳＰＥＡＫ　ＥＡＳＹに通っていたのも、居場所を求めていたからなのかも知れません。

見せびらかしたい魅力

私は曲水の宴に呼ばれ、そのことを広くアピールするように頼まれたわけではありません。観光大使や広告塔になってほしいという依頼はなく、ツイッターやフェイスブックで宣伝するようにいわれてもいません。そういう意図は表立っていわないのが京都です。

曲水の宴という神事で、マリ人のサコに役割を与える。もう三〇年近く京都に住み、地元大学の学長も務めているのだから、それぐらいの資格はあると見てもらえたのでしょう。

ほかの地方のお祭りで、お殿様の子孫が武士の格好で馬に乗って登場するのとは違います。ものすごく伝統的で雅な神事のメインに外国人を起用する。伝統を重んじる一方で、そういう目新しさや遊び心を発揮するのが京都です。ガチガチに伝統を守っているようで、「いやいや、ちゃんと開かれていますよ」とアピールする。

京都の人たちは、京都の伝統と文化に誇りをもっています。京都を自慢したいし、見せびらかしたい。ただ、自慢する相手、見せびらかす相手を厳選します。ここでも「一見さんお断り」なのです。

京都リテラシーを身につけ、京都のよい面もわるい面も受け入れた人には見せびらかしたいのかもしれません。それは間接的に広い世界にアピールすることにつながります。自分たちが京都の魅力を表立って語ると嫌味な自慢になる。その代わりに、京都の魅力がわかる人に見せびらかしてもらう。

観光大使や広告塔を頼まなくても、情報の発信力がある人に京都のよさを理解させれば、自然とそうなります。

「京都を宣伝してくれと頼んだわけやないけど、ずいぶん気に入ってくれたみたいやね」

そのポジションを守りつつ、相手をうまく誘導していくところは一種のネゴシエーションです。京都のことを理解したい人たちには、ちゃんと居場所をつくってサポートしてくれます。その点では、一般にイメージされるほど排他的ではありません。しかし、そこからが長い。玄関口までは簡単に入れてくれるのに、奥のお座敷に到達するまでにはいくつものステップがあります。ちょうど京町家の造りと同じです。土間に立って話す関係、上がりかまちに腰かけられる関係、履物を脱いであがれる関係……みたいな段階がコミュニティにもあります。
私は京都北ロータリークラブに入って、まだ先に奥座敷があることに気づきました。

京都にはさらに奥がある

京都には、外国人がたくさん住んでいます。そのなかにはかなりマニアックな京都通がいて、たいていお茶を学びにきたとか、武道を学びにきたとか、座禅の修行にきたとか、何か目的があって京都にきた人たちです。

そういう人と京都について話すと、「深いところまでよく知ってるなぁ」と感心する一方で、「ちょっと偏(かたよ)ってるな」と感じることがあります。この違和感はなんだろうと考えていくと、その人たちには「京都はこういうところ」という確固たるイメージがあるからだと気づきました。おそらく母国にいるときからお茶や武道を学ぶなかで膨(ふく)らんできたイメージでしょう。逆に、そこから外れるものは受け入れがたい。「京都らしくない」となるのです。

私が京都にきたのはたまたまですから、あらかじめ「京都はこういうところ」という先入観はありません。ロータリークラブのように、いまだに京都の意外な面を発見することはあります。「さらに奥があるのか」とイメージが一新しても抵抗感はないのです。

ただ最近になって「もしかしたら、これが最終ステップではないだろうか」とも考えるようになりました。研究者として客観的に見ているつもりが、どんどん京都に同質化しているのではないかということです。頭で理解していた京都リテラシーや京都らしさが身体化してきたといえばいいでしょうか。

たとえば、若い頃に驚いていたいけずが、自分の口から自然と出てくるようなものです。ミイラ取りがミイラになるような話です。空間人類学的に京都を研究するうちに、いつの間にか自分が京都人になっているというのはありえないことではありません。ポジティブにいえば、京都修行が身についてきたのです。

京都の人にいわせれば「いやいや、まだ先がある」という段階かもしれません。京都が抱える問題に深くかかわることで、それはハッキリしてくるでしょう。

Oussouby SACKO（ウスビ・サコ）

1966年、マリ共和国の首都バマコ生まれ。高校卒業後、国費留学生として中国に留学。北京語言学院で一年間中国語を学んだ後、南京市にある東南大学で建築学を専攻。卒業後、大学院に進み、建築設計を専攻したが、91年に来日。京都大学大学院工学研究科の修士課程を経て同大学院建築学専攻博士課程修了、博士（工学）。2001年に京都精華大学人文学部講師。02年に日本国籍取得。13年同学部教授、学部長。18年に京都精華大学学長に就任。アフリカ系としては初めて日本の大学の学長となった。日本人の妻と2人の息子と共に京都在住。フランス語、英語、中国語、そして関西弁を流暢に話す。20年10月より「サンデーステーション」（テレビ朝日系）に出演中。

アフリカ人学長（じんがくちょう）、京都修行中（きょうとしゅぎょうちゅう）

2021年2月15日　第1刷発行

著　者　ウスビ・サコ

発行者　島田真

発行所　株式会社文藝春秋

〒102-8008　東京都千代田区紀尾井町3-23
電話 03-3265-1211

本文印刷所　理想社
付物印刷所　萩原印刷
製　本　所　加藤製本
組　　　版　東畠史子

ISBN 978-4-16-391136-6